JERZY AUGUSTYN

CZAS MŁODEGO WILKA

JERZY AUGUSTYN

CZAS MŁODEGO WILKA

OPOWIADANIA

WARSZAWSKA FIRMA WYDAWNICZA

WARSZAWA 2013

Jerzy Augustyn, *Czas młodego wilka*

© Jerzy Augustyn 2013

© Warszawska Firma Wydawnicza s.c. 2013

Warszawa 2013
ISBN 978-83-7805-732-1

Redakcja: Magdalena Hniedziewicz

Korekta: Anna Radost

Skład i łamanie: Piotr Górski

Projekt okładki: Krzysztof Krawiec wg pomysłu Agnieszki Pająk

Ilustracje: Sebastian Winiarski

Wydawca
Warszawska Firma Wydawnicza s.c.
ul. Ratuszowa 11/5/19
03-450 Warszawa
www.wfw.com.pl

Druk
Fabryka Druku Sp. z o.o.
ul. Staniewicka 18
03-310 Warszawa
www.fabrykadruku.pl

Spis treści

CWANIAK

Leżę w krzakach, na jakimś pieprzonym zadupiu i patrzę w niebo pełne gwiazd. I tak myślę sobie, że w tym swoim życiu nie zrobiłem chyba niczego dobrego. Odkąd pamiętam kłamałem, robiłem na złość, oszukiwałem starych, kradłem w supermarketach, robiłem kumpli w jajo, zdradzałem swoje dziewczyny, knułem mniejsze lub większe intrygi. Byłem złośliwy, bezczelny, arogancki, przebiegły jak lis i sprytny jak...no nie ważne... dodam jeszcze, że bystry i inteligentny, jak mało kto...

W porządku, już nie zanudzam. Leżę to leżę. Czy to ma jakiekolwiek znaczenie? Dla mnie już raczej nie... Cofnijmy się lepiej o jeden dzień. Będzie ciekawiej...

Obudziłem się około pierwszej po południu. Kac gigant! Znacie to uczucie. Przesrane. Doczołgałem się jakoś do lodówki, z nadzieją, że spotkam tam browar i załagodzę palącą rurę… Niestety, prócz przeterminowanego jogurtu i zjełczałego masła nie było tam nic… Jezu ratuj!

Mimo zadżumionego umysłu, coś mi zaświtało… Dopełzłem na czworakach do przedpokoju, włożyłem łapę do kieszeni kurtki i… jest! Nie było czasu na zabawę w „ścieżki", więc wsypałem zawartość woreczka bezpośrednio do jamy ustnej, wylizałem go dokładnie jak pies, który znalazł wielką kość i położyłem się na plecach… Królowa Amfetamina…

Leżałem w takim błogostanie… no nie wiem dokładnie jak długo, ale to też bez znaczenia. Było mi cudownie i nawet zimna terakota była jak satynowa pościel. Byłbym tak leżał pewnie jeszcze parę godzin, gdyby nie to cholernie głośne stukanie do drzwi…

– O nie, tylko nie to! – powiedziałem do siebie. Dobrze znałem to stukanie. To nie było normalne stukanie! Tak nie stukają normalni ludzie! Z góry było wiadome, że do drzwi wali jakiś kretyn, pierdolony świr. Jakiś debil, któremu bardzo spodobała się seria z karabinu maszynowego i ilekroć widzi drzwi, myśli że to tarcza strzelecka… No ale to nie był normalny człowiek, tylko mój kumpel. Adolf.

– Joł men! Siemano kolo! Ło matko, jaki tu burdel! – powiedział co wiedział, wchodząc do przedpokoju.

Spojrzałem na niego.

– A co cię to interesuje, młotku? – zapytałem. – Lepiej daj zajarać.

Kiedy odpalałem papierosa, Adolf powiedział swoim niskim, zachrypniętym głosem:

– Nie jest dobrze, stary... Nie jest dobrze, men... nie jest kaman...

– O co kaman? – zapytałem nieco zaskoczony. Słowa „nie" i „dobrze" jakoś kolidowały ze sobą w jednym zdaniu.

– Nie jest dobrze, czujesz men? – powtórzył Adolf. – Żelowany zakumał, że robimy go w jajo... Już wie, że te fajki z tira sprzedajemy po droższej cenie, niż z nim ustaliliśmy... Strasznie się wpieprzył, żebyś ty go widział, men!

– No co ty pier... – wkurzyłem się – co ty pierdzielisz, Adolf. Przecież nikt o tym nie wiedział, tylko ty i ja...

Adolf wzruszył ramionami.

– Nie wiem, Czarnuchu... Sam jestem kurwa zdziwiony... Może jakiś pieprzony frajer nas podsłuchał i doniósł Żelowanemu...

Z Żelowanym żartów nie było. Dlatego nie było mi wesoło.

– Czyli...

– Czyli dupa blada, men – powiedział Adolf, wypuszczając kółka papierosowego dymu.

Pomyślałem chwilę.

– A kto nam udowodni, że narzucamy sobie własną marżę, co? Przecież Żelowany nie wie, komu sprzedajemy fajki.

– A jeżeli wie… – powiedział Adolf, nie patrząc mi w oczy. – Ale wiesz, jak se nagrabimy drugi raz u Żelowanego, to mamy przesrane, Czarnuchu… Wiesz men, od tamtego biznesu z kompami, cośmy go chcieli wyrolować, już nam nie ufa… Joł!

Godzinę później jechaliśmy z Adolfem na drugi koniec miasta. Adolf rapował. Uwielbiał rapować. Udawał murzyna. W ogóle, mam wrażenie, że czuł się murzynem. Nosił dres, czapeczkę z daszkiem do tyłu i miał wytatuowanego smoka od ramienia, po prawy półdupek. Jak coś mówił, to machał rękami. To była kolejna rzecz, jakiej u niego nie znosiłem. Ale tym razem przemilczałem. Mieliśmy do zrobienia interes, więc nie chciałem psuć atmosfery. Byłem pośrednikiem w pewnej – że tak ujmę to banalnie – ptasiej transakcji. Młode indyki. Sześćdziesiąt młodych indyków. Cena była z góry ustalona. Jednak jako wytrawny cwaniak, postanowiłem na tym zarobić dodatkowo.

W międzyczasie zadzwoniła Patrycja. Z wyrzutami… „Dlaczego wczoraj nie przyszedłem. Przecież byliśmy umówieni na kolację z jej rodzicami. Mieli mnie poznać." Wielkie mi rzeczy! Skłamałem natychmiast, że musiałem pilnie wyjechać do Niemiec po audice dla jednego kolesia. Łyknęła. Niezła dupa z tej Patrycji, ale głupia, że głowa boli!

Nie znam się na indykach. Właściwie w życiu nie widziałem młodego indyka. Te wyglądały… no nie wiem, nie znam się do cholery! Piszczały cicho w swoich klatkach, deptały po sobie i wyciągały łebki ku górze.

– Co te indyki takie chuderlawe? – zapytałem.

– Chuderlawe? – zdziwił się sprzedawca. – Panie, to indyki pierwsza klasa. Burbońskie Czerwone!

– Może i burbońskie, ale chuderlawe – nie dawałem za wygraną – a poza tym, o temu, wisi jakieś mięso pod dziobem…

– Panie kochany, to przecie indyk. Zawsze będzie mu wisiało – lamentował sprzedawca.

Mrugnąłem znacząco do Adolfa.

– Nie widzą mi się te ptaszyska.

Facet załamał ręce.

– To co ja teraz z nimi zrobię? – zapytał drżącym głosem.

Pomyślałem chwilę.

– To już pana sprawa. Ja mogę wziąć te gęsi, tfu, te indyki. No ale niestety… Musi pan, panie kochany zjechać z ceny. Nie ma innej opcji…

Facet nie miał wyjścia, musiał zjechać z ceny i po sprawie. Niezły jestem, cholera!

W drodze powrotnej, niuchnęliśmy z Adolfikiem, po dwie sety. Tak żeby było raźniej. Mieliśmy jeszcze do opchnięcia spirytus z lewej cysterny. Nawet dokładnie nie wiem od kogo. Ważne, że znowu można było nieźle zarobić. Ale najpierw postanowiliśmy coś zjeść. Kiedy tylko przestąpiliśmy próg „Kiełbaski", Ewka rzuciła się na mnie z pretensjami:

– Czekałam na ciebie na przystanku całą godzinę. Zmarzłam, przemokłam i dostałam kataru! Co ty sobie wyobrażasz, kretynie? To już trzeci raz! I co tym razem wymyślisz?!

– Ewciu – powiedziałem spokojnie – przecież wiesz, co do ciebie czuję. Gdyby nie było poważnego powodu, przyjechałbym na pewno... Ale wiesz, że mam firmę. Muszę doglądać moich interesów... Jestem na telefon...

– Na telefon! Na telefon!... Nie mogłeś zadzwonić i uprzedzić mnie...?

Przytuliłem ją. Adolf uśmiechnął się szyderczo, pokazując pożółkłe jedynki.

– Odbijemy to sobie następnym razem – powiedziałem – tymczasem przynieś nam dwa duże kebaby, bo padamy z głodu.

Wypiliśmy po dwa browary. Po opchnięciu spirytusu, wylądowaliśmy w „Lagunie". Jednak atmosfera nie była ciekawa, więc zamówiliśmy tylko po tequili. Zapłacił za nią jakiś podpity frajer, któremu wmówiłem, że załatwię mu pracę za cztery patyki miesięcznie. To frajer!

Około dwunastej byliśmy już w klubie „Palermo". Poznaliśmy trzy fajne laski. Sypnęła się amfa, polała wódzia, zrobiło się kolorowo...

Wtedy… zobaczyłem tę postać po raz pierwszy. Mimo działania alkoholu i amfy, poczułem jak ciarki przeszły mi po plecach. Postać ubrana była w długi czarny płaszcz. Siedziała przy barze i nie spuszczała ze mnie wzroku. Chciałem zapytać Adolfa czy ją widzi, jednak ten siedział w loży Żelowanego i coś mu ciężko tłumaczył machając łapami na cztery świata strony. Kiedy ponownie spojrzałem w stronę baru postaci już nie było. „Co jest, do kurwy nędzy" – pomyślałem. Po chwili uświadomiłem sobie że to na pewno halucynacje i całą winę zwaliłem na trefne prochy. Dopiłem drinka i postanowiłem iść do domu.

Zwaliłem się na chatę około czwartej nad ranem. Naćpany, pijany i piekielnie zmęczony, rzuciłem się na łóżko.

Coś mnie tknęło, zaraz po przebudzeniu. Jakieś dziwne przeczucie… Taki dziwny niepokój. Spojrzałem w stronę drzwi kuchennych i… jestem pewien, że przez ułamek sekundy mignęła mi przed oczami postać z baru. Zmartwiałem. To już kurwa nie są żarty! Mózg mi się lasuje, czy co?

Zamiast więc sięgnąć po kolejną porcję białego prochu, który niewątpliwie postawiłby mnie na nogi i pozytywnie usposobił do życia, postanowiłem zadbać o zdrowie i iść na basen. Potrzebowałem relaksu…

Skoczyłem z trampoliny. Nawiasem mówiąc, ten skok nie należał do udanych, ponieważ o mały włos nie rozsadziło mi klatki piersiowej, a w uszach dzwoniło jak w Kościele Mariackim. Kiedy już ostatkiem tchu piąłem się ku górze, a każdy ułamek sekundy wydawał się wiecznością, nagle uderzyłem głową o coś twardego. Wynurzyłem się i zobaczyłem… Ją… Dwa figlarne dołeczki uśmiechały się do mnie z serdecznością i politowaniem.

– Nic ci się nie stało? – zapytała wesoło, acz z przejęciem.

– Nie, nic… – odpowiedziałem zażenowany, przeklinając w duchu metalową barierkę. Czułem ból i pulsowanie na czubku głowy.

– Może jednak wyjdziesz z wody – zaproponowała – pomogę ci.

Zgodziłem się. Kiedy już wyszliśmy z wody, zapomniałem o skoku, o bólu, o guzie… Lekko pokręcone, kruczoczarne włosy, spływały po jej delikatnie opalonych ramionach. Jednym spojrzeniem, dotknąłem jej jędrnych piersi, pośladków i długich nóg… Była piękna… Wyczuwało się w niej jakąś taką niewinność i dziewczęcość. Jednak ta niewinność i dziewczęcość, polana była pikantnym sosem niewyobrażalnego seksapilu.

– Masz ręcznik? – zapytała.

Zaniemówiłem. Naprawdę, to chyba nawet nie usłyszałem co do mnie mówi, ponieważ zachwycony byłem jej pięknymi, piwnymi oczami. Właściwie, nie wiem, jakie były, piwne czy zielone…

– Halo! Słyszysz mnie? Masz ręcznik? – powtórzyła.

– Mam… tam… – wydukałem wskazując na parapet.

Odwróciła się i podeszła do okna. Okryła mnie ręcznikiem. Uwierzcie mi, mało nie zemdlałem z wrażenia... Ja, który tańczyłem swoje życie, skakałem z łóżka do łóżka. Ja, który nie bałem się nikogo i niczego. Pewniak, ryzykant, kombinator szuja, zgrywus, dusza towarzystwa... Stałem teraz przed nią, niczym trzecioklasista, skrycie podkochujący się w swojej młodej wychowawczyni... Czułem, że wpadłem jak śliwka...

– Często przychodzisz popływać? – zapytałem nieśmiało.

Roześmiała się.

– Prawie codziennie. A czemu pytasz?

– Bo... bo mam nadzieję, że jeszcze się spotkamy...

Spojrzała na mnie z zainteresowaniem.

– No, na pewno – uśmiechnęła się. Spojrzała na mnie jeszcze raz. Odwróciła się – do zobaczenia...

– Chwileczkę – zatrzymałem ją – jaki kolor mają twoje oczy? Piwne czy zielone?

– Chyba piwne... A, sama nie wiem jakie są – zaśmiała się.

Przebierając mokre kąpielówki, myślałem o niej. Już miałem plan. Przyrzekłem sobie, że się zmienię. Że skończę z dotychczasowym życiem, z kłamstwami, kradzieżami, kombinatorstwem, balangami, panienkami... Dla jej oczu, zerwę nawet z kumplami.

Wyszedłem na zewnątrz. Było już ciemno. Powietrze było takie rześkie, czyste. Czułem się szczęśliwszy. Z jej powodu bez wątpienia... Czy istnieje miłość od pierwszego wejrzenia? O, tak!

Kiedy otwierałem drzwi swojego samochodu, po raz trzeci zauważyłem tę koszmarną postać z baru. Stała niedaleko. Nie widziałem jej twarzy, ale bez wątpienia patrzyła na mnie…

W tym momencie, ktoś złapał mnie za ramię. Odwróciłem głowę. No tak… Tego brakowało! Goryle Żelowanego! Super! Dwóch dryblasów złapało mnie za ręce, wykręcając je ostro do tyłu. Podprowadzili do wozu swojego szefa. Żelowany wyszedł i trzasnął drzwiami. Z drugich drzwi wyszedł… Adolf… To szmata! Sprzedał mnie! A do tego bezczelnie się patrzy, tymi wyłupiastymi gałami!

– Joł, men… No co? Życie Czarnuchu… – wzruszył ramionami i splunął na ziemię.

Nie odpowiedziałem, tylko spojrzałem na niego z pogardą. Tyle w dzisiejszych czasach znaczy przyjaźń…

Żelowany swoim zwyczajem, spojrzał w boczne lusterko, czy aby na pewno nie odstawał jakiś włosek na jego świecącej czuprynie. Ale musiało być wszystko w porządku, ponieważ uśmiechnął się i podszedł do mnie.

– No i co, chłopiec? – zaczął swoim piskliwym głosikiem kastrata. – Nie jesteśmy lojalni, co? Znowu chcieliśmy kogoś wydymać… Mataczymy i okradamy. Trudno, skończmy z tym… – wyjął długi nóż. Ostrze błysnęło mi w oczy.

Zatkało mi dech w piersiach i poczułem straszliwy ból w okolicach mostka. Goryle puścili moje ręce i padłem twarzą w kałużę.

– No, to jesteśmy… kwita – powiedział Żelowany. I odjechali.

No i tak leżę już z pół godziny z dziurą w bebechach, krwi mi ubywa, jestem coraz słabszy i tak sobie myślę, patrząc w gwiazdy… Zrobiłem na szybkiego rachunek sumienia. Przeleciałem swoje życie od początku do… końca? I o ironio, choć było niezwykle barwne, nie znalazłem w nim nic dobrego. Nie wiem czy się śmiać czy płakać. Może potoczyłoby się inaczej, gdybym wcześniej spotkał tego anioła o piwnych oczach… a może zielonych…

SUMIENIE

dedykuję mojej kuzynce Beacie

– Powiedz mi, czego ty tak naprawdę ode mnie chcesz? – zapytał Wiktor, patrząc w oczy swej młodszej siostry. – Wiecznie masz jakiś problem. Albo fotel za bardzo odchylony, albo za gorąco w samochodzie, albo za zimno, albo okno otwarte za szeroko. Albo zamknięte. Wyluzuj dziewczyno, mówię ci.

– Daj jej spokój – powiedziała piękna, długowłosa blondynka, siedząca z tyłu. Była to starsza siostra Wiktora – Agnieszka. – Nie widzisz tego, że Dominika denerwuje się przed tym cholernym egzaminem! – dodała ostrym tonem.

– Przecież wy zawsze macie jakieś problemy! – powiedział ostro Wiktor. – Jak nie paznokcie, to solarium, jak nie solarium to fryzjer… I tak w kółko…

– Jedź – powiedziała krótko Dominika i odwróciła głowę w drugą stronę. Jej piękne, zielone oczy iskrzyły złością.

Był początek września. Poranki były chłodne, ale słoneczne i pachnące. To ta pora roku, gdy nieuchronnie nadchodzi jesień, ale lato jeszcze nie chce dać za wygraną. Zaorane pola, pokryte brunatnymi grudkami ziemi. I lasy… Piękne, gęste, zielone. Okrywające swym płaszczem pagórki i wzniesienia podkarpackiej krainy.

– Co to za egzamin? – zapytał Wiktor.

– Ze statystyki… – odpowiedziała cicho Dominika.

– Pierdoły – zadrwił Wiktor.

– Ignorant – podsumowała Agnieszka – patrz lepiej na drogę. A nawiasem mówiąc, powinieneś zająć się czymś pożyteczniejszym, niż granie w te durne gry.

– Daj spokój! To nie twoja sprawa!

– Nie moja! To fakt! – zdenerwowała się Agnieszka. – Ale rodziców na pewno! Masz dwadzieścia trzy lata, a siedzisz im na karku! I zamiast być im wdzięcznym, denerwujesz mamę swoim kretyńskim zachowaniem! Włóczysz się po nocach z tymi przygłupkami!

– Gówno ci do tego!

– Cham!

– Hihihi – zaśmiał się szyderczo Wiktor.

– Nie wiem z czego on się śmieje... – wtrąciła Dominika.

Wiktor zdenerwował się.

– A co?! Ty nie ślęczysz starym na głowie? Mówisz na mnie, a jesteś starsza ode mnie! Wielka pani magister od geografii!

– Ona przynajmniej pracuje – powiedziała Dominika – w przeciwieństwie do ciebie.

– Nie odzywaj się! Ciesz się, że jadę z tobą taki kawał! – zdenerwował się Wiktor. – I co z tego będziesz mieć? Z tych twoich studiów?

– No, mój drogi, na pewno więcej niż ty – powiedziała z irytacją Agnieszka – dziewczyna stara się jak może...

– Nie pieprz mi, proszę! Dziennikarka! Ale mi zawód!

Agnieszka pokręciła głową.

– Z nim to w ogóle szkoda rozmawiać.

– Ha ha! I bardzo dobrze! Nie muszę z wami gadać! Mądralińskie. Wykształcone. Ho ho! Wykształcone wykształciuchy. I co – zwrócił się do Dominiki – będziesz wypisywać bzdury w jakiejś szmacianej gazecie? Pisać, co ci każe twój spedalony chlebodawca? A kogo to będzie obchodzić?

– Boże jaki ty jesteś pusty – pokiwała głową Dominika.

– Mówię ci, że to kretyn! – zdenerwowała się Agnieszka. A zwracając się do brata, powiedziała – a co ty robisz takiego mądrego, Co? No, nawijaj! Kradniesz, bijesz się na meczach, nie szanujesz nikogo i niczego... Nocami przesiadujesz przed komputerem, pijąc piwsko i wciągając amfetaminę. Myślisz, że nie wiem...

– He he he! – zaśmiał się Wiktor.

– Śmiej się, rzeczywiście – jest z czego.

Samochód skręcił w prawo. Wyjechali na drogę szybkiego ruchu. Wiktor miał za nic to wszystko, co mówiły jego siostry. Uważał, że potrzebna jest światowa rewolucja. Jego mentalność była bardzo prosta. Żeby żyć, trzeba kombinować i oszukiwać, ponieważ uczciwą pracą nikt nigdy się nie dorobił. Kobieta powinna siedzieć w domu przy garach i dzieciach. I o nic nie pytać. Twierdził, że wszyscy w około to złodzieje i cwaniaki, więc trzeba być takim samym złodziejem i cwaniakiem jak inni. Za wszystkie niepowodzenia winił jakąś tajną organizację żydo-masońską, którą trzeba wytępić, a pedałów trzeba lać... Moralność? To wymysł polityków i księży. Uważał, że moralność to zasrane sumienie ludzkości, dzięki czemu władcy świata, mogli utrzymać w ryzach ciemne masy. Wolność, oznaczała totalną swawolę we wszystkim i w stosunku do wszystkich.

– Wolę żyć tak jak żyję – mówił – nie jak wy, w skondensowanym świecie. Ślepe jesteście. Wszechwładny system wami kieruje. A ja... jestem wolny jak ptaszysko, he he he...

– Ładna mi wolność... – zaśmiała się Dominika – w końcu wylądujesz na odwyku, albo w domu wariatów!

Potężny huk i trzask tłuczonego szkła rozległ się dookoła. Samochód zawirował i wpadł do rowu, kołami do góry.

Dominika poczuła, jakby jej mózg przemieścił się, po czym wrócił na swoje miejsce…

***

Jaki ten facet przystojny. Wielkie, niebieskie oczy. Ma biały fartuch. Co on robi? Nachylił się nade mną, coś mówi do mnie, ale tak cicho, że w ogóle go nie słyszę … A Agnieszka? Dzwoni… Ciekawe do kogo? Płacze… dziwne… Ona nigdy nie płacze. Wiktora niosą do sanitarki. Boże, coś mu się stało, bo ma zakrwawioną twarz. Skąd nagle tyle ludzi się tu wzięło… Tyle aut… Aga ciągle gdzieś dzwoni i ciągle płacze. Znowu ten lekarz. Czego on ode mnie chce? O jest i drugi… Ale ten… jest ubrany na czarno. Stanął z boku. Nie widzę jego twarzy, tylko same oczy… patrzące na mnie… Co się dzieje? Mamo, ja widzę siebie! Widzę wszystkich… z góry. I ten lekarz ubrany na czarno. Ciągle na mnie patrzy… Ciemno…

Ktoś tu jest? Czuję obecność kogoś obcego. Ale nikogo nie widzę. Zimno. I cicho… Nikogo nie ma, a ja ciągle czuję, że ktoś przy mnie stoi…

O, jest światło. Takie maleńkie. Zbliża się do mnie. Jest tak błogo, tak beztrosko...

Ciemno… Słyszę głosy, ale nie rozumiem ani słowa…

Jasno... Bardzo jasno, aż razi w oczy. Patrzę na siebie z góry. Leżę w łóżku. Wokół mnie tylu lekarzy. Mają zakryte twarze. Są bardzo skupieni. Zdenerwowani. O, jest i ten w czarnym ubraniu…

Znowu patrzy na mnie…. Widzi mnie, bo spogląda w górę!

Zrobiło się zamieszanie. Lekarze denerwują się coraz bardziej. Słyszę dźwięk… Piskliwy… jednostajny… Czarny lekarz wyciąga ku mnie ręce. Macha nimi, jakby mnie przywoływał….

Cisza… Ciemność…

***

Cicho… Leżę. Mam zamknięte oczy. Słyszę bicie swojego serca. I dźwięk. Piskliwy. Przerywany…

— Pić... – powiedziała cichutko Dominika.

– Co mówisz, kochanie? – Agnieszka nachyliła się nad siostrą.

– Pić… – powtórzyła Dominika.

Agnieszka patrzyła na siostrę. Na jej piękną twarz, która wykrzywiała się teraz w grymasie walki z pragnieniem. A może z bólem… Operacja udała się, ale nigdy nie wiadomo, czy nie będzie powikłań. Dotknęła końcami palców policzka Dominiki. Dziewczyna lekko drgnęła… Potem poruszyła palcami. Otworzyła oczy...

– Jezu, mamo obudziła się! – krzyczała Agnieszka, tuląc do siebie oszołomiona matkę.

Kobietę jakby na moment zatkało. Spojrzała na córkę, jakby jeszcze nie wierząc w to, co usłyszała.

–Boże drogi. Boże drogi. Można tam teraz wejść? – zapytała matka, wycierając oczy.

– Chyba tak… Czekaj, zapytam się pielęgniarki.

Stojący pod oknem Wiktor, nie miał odwagi wejść do siostry. Codziennie przyjeżdżał do szpitala i codziennie odczuwał to samo. Wyrzuty sumienia. Poczucie winy narastało w nim z dnia na dzień. Co prawda, rodzice i Agnieszka ani razu nie dali mu do zrozumienia, że to on ponosi odpowiedzialność, za to co się stało, jednak doskonale wiedział, że gdzieś w głębi duszy mają do niego żal. I nie dlatego, że prowadził samochód, ale dlatego, że zachowywał się tak, a nie inaczej. Był przemądrzały, kłótliwy, złośliwy i buńczuczny. Nie pracował, w niczym nie pomagał rodzicom, często przychodził do domu pijany, brał narkotyki, spotykał się z marginesem. W domu, oprócz komputera, nie interesowało go nic…

Sam nie odniósł większych obrażeń. Poza rozbitym łukiem brwiowym i zwichniętą ręką, nic mu się nie stało.

– Wiktor – kiwnęła głową Agnieszka – chodź…

Chłopak zebrał w sobie całą odwagę i powoli wszedł na salę, gdzie leżała Dominika. Spojrzał na siostrę i ogarnął go żal. Może po raz pierwszy, od niepamiętnych lat. Stanęły mu przed oczami obrazy z dzieciństwa. To on jako pierwszy, pokazał jej jak się siada na rower, jak się kopie piłkę, jak można rozdrażnić psa do granic możliwości, albo rozbić lampę strzałem z procy. Stawał w jej obronie przed chłopakami, chociaż sam nieraz sprawił jej manto, za to, że skarżyła mamie, albo nie chciała się podzielić batonem. Coś go w środku ścisnęło… Co będzie? Czy mu wybaczy?

Usiadł na taborecie przy łóżku Dominiki. Popatrzyli sobie w oczy. Nie wiedział co ma powiedzieć…

CZAS MŁODEGO WILKA

dedykuję mojemu bratu Adamowi

Jacek Rode i Tomek Lipski byli przyjaciółmi ze studiów. Wkrótce po ich ukończeniu, dostali pracę w tej samej firmie. Zaczynali jako koordynatorzy, potem szli już tylko w górę. Kilka lat temu, Tomek otrzymał stanowisko dyrektora produkcji, natomiast Jacek został szefem działu technicznego. Ambitni, bystrzy i bezkompromisowi, stali się atutem i wizytówką korporacji. Prezes firmy, niejaka pani Buczek, była tylko nieudacznym figurantem, pobierającym co miesiąc wysokie pobory. Zresztą, samo przeobrażenie się państwowej fabryki w prywatną firmę, pozostawiało wiele do życzenia. Ale początek lat dziewięćdziesiątych, zapisał się w naszej historii złotymi czcionkami, jako czas niewyobrażalnego złodziejstwa i grabieży. Spuścizna po zgniłym, kolesiowskim socjalizmie, w zderzeniu z nową, bezwzględną, kapitalistyczną rzeczywistością, nieuchronnie musiała wytworzyć ferment i z niego powypływały na wierzch najgorsze męty. Przy takim stanie rzeczy, uczciwi, pokorni lub sfrustrowani, nie mieli prawa bytu.

Jacek i Tomek, nie należeli do tych mętów z prostego powodu. Byli za młodzi. Ale byli jeszcze gorsi. Wychowani przez swoich rodziców w socjalistycznym konsumpcjonizmie, nie mieli w sobie żadnych głębszych wartości, poza zrozumiałą i naturalną miłością do swoich najbliższych. Recepta na życie była bardzo prosta: osiągnąć cel. A celem był pęd ku karierze. No i to, aby „mieć" jak najwięcej.

Pani prezes Buczek, praktycznie nie miała wpływu na działalność firmy i było pewne, że kiedy tylko pójdzie na emeryturę, to Jacek lub Tomek, zasiądą na jej prezesowskim fotelu. Albo obydwaj razem…

– On za bardzo podskakuje – powiedział Tomek, do siedzącego naprzeciwko Jacka.

– Mówisz o Adamku?

Tomek spojrzał na przyjaciela.

– Jasne! Nigdy mu nic nie pasuje. Zbyt dużą wagę przywiązuje do drobnostek. Często wdaje się w konflikty z magazynierkami… Wiecznie zasłania się kodeksem pracy.

– Magazynierki hehe – zaśmiał się Jacek – to durne baby. Więc tu akurat go rozumiem.

– Ale mnie nie rozumiesz... Mówię poważnie.

Jacek spojrzał Tomkowi w oczy.

– Hmm... To rzeczywiście poważna sprawa.

Tomek oparł się o swój fotel i splótł ręce za głową.

– Chodzi o to, że miałbym kogoś na jego miejsce... Starego kumpla...

Jacek wzruszył ramionami.

– No to jaki problem po prostu wywalić Adamka? – zapytał z uśmiechem Jacek.

– Wiesz... Adamek to stary pracownik... – zauważył Tomek.

– Gówno z tego! – zaklął Jacek. – Kogo to obchodzi?!

– I nie ma na niego haka...

Rode pomyślał chwilę.

– Hak się znajdzie – powiedział. Wstał z fotela i podszedł do telefonu. Wykręcił numer.

– Pani Aniu, proszę przysłać do mnie Figurską... tak, niech przyjdzie natychmiast... oczywiście... na razie...

Lipski popatrzył na przyjaciela pytającym wzrokiem.

– No co się gapisz?

– No... bo co z tym wszystkim ma wspólnego Figurska?

Jacek pokręcił głową.

– Ty w dalszym ciągu nic nie rozumiesz… Figurska ma pod sobą magazyny, tak? Z częściami maszyn, tak? Adamek pracuje jako…

– …kierownik transportu – zaskoczył Tomek.

– No więc…

Lipski uśmiechnął się.

– Myślisz, że Figurska pójdzie na ten numer?

– Oooo! To kobieta bez sumienia. Widzi tylko swój interes. A w dodatku, nienawidzi Adamka. Trochę się ją postraszy, potem pomacha przed nosem premią… i zgodzi się.

Tomek stanął przy oknie.

– Jaki konkretnie pomysł podsunął ci diabeł?

Rode zastanowił się.

– Powiedzmy… powiedzmy, że zginęła paleta z tarczami hamulcowymi…

– Paleta? Pogięło cię? Palety nie mógł wsadzić do kieszeni i wynieść poza zakład! Ocipiałeś!

– A co? Samochody wjeżdżają na zakład. Mógł się ugadać z którymś z kierowców… No dobra – pomyślał Tomek – powiedzmy, że zginie skrzynka z nowymi narzędziami. Wiertarka, nie wiem…

– Ok, to lepszy pomysł. Ale co dalej?

Jacek uśmiechnął się.

– Zostaw to mnie. Wkrótce wezwiemy Adamka na szybką rozmowę i powiemy mu goodbye!

Po pracy Jacek wsiadł do swojego służbowego samochodu i pojechał na zakupy. Był umówiony z żoną. Dzieci nie mieli, ponieważ nie było na to czasu. Jego żona Ula, robiła karierę w branży kosmetycznej, więc całe ich życie skupiało się wokół pracy zawodowej.

Usiadł na ławce, niedaleko fontanny centrum handlowego i wyjął telefon komórkowy. Wystukał kilka słów na klawiaturze i schował telefon do kieszeni.

Rozejrzał się dookoła. Mnóstwo ludzi. Zagonionych, roztargnionych, zmęczonych, znudzonych. Ludzi starych i młodych. Tych którzy przyjechali w konkretnym celu. I tych, którzy przyszli tu tylko połazić i pochwalić się znajomym, że byli w centrum handlowym. Uczniowie, różnej maści przedstawiciele handlowi, matki z dziećmi, zakochane pary, małżeństwa w podeszłym wieku, złodzieje kieszonkowi, galerianki. Takie miejsca, okradają z widzów, teatry i kina... Jacek, jak większość tych ludzi, był produktem wytworzonym przez dwa różne, a tak podobne do siebie światy. Przez złodziejski i konsumpcyjny socjalizm... i złodziejski i konsumpcyjny kapitalizm.

– To co dziś robimy? – zapytała Ula otwierając laptopa.

– Mieliśmy iść do rodziców na obiad – odpowiedział Jacek.

– Super! A potem?

– Może... może posiedzimy w domu...

– Oki.

– Chyba, że chcesz robić coś innego? – zapytał Jacek.

– Nie. Nawet mi dziś na rękę siedzenie w domu. Jestem zawalona robotą – powiedziała dziewczyna, nie spuszczając oczu z laptopa.

Jacek uśmiechnął się.

– Zawalony robotą, jest górnik w kopalni. Ty masz po prostu dużo pracy.

Ula podniosła głowę. Zmrużyła zalotnie swoje wielkie, ciemne oczy.

– A może… zostawimy robotę w spokoju… w końcu, to nie zając – uśmiechnęła się – i pójdziemy się zabawić, co?

– Hmm… całkiem niezły pomysł. Zadzwonię do Tomka.

– Oki.

Tomek był zachwycony pomysłem. Nadarzyła się okazja, aby mógł wreszcie przedstawić przyjaciołom, swój najnowszy nabytek. Blond piękność o imieniu Karolina. Umówili się na dziewiętnastą. Najpierw była ekskluzywna restauracja z drogim winem i owocami morza. Potem przenieśli się do luksusowego, nocnego klubu, gdzie spotykali się młodzi, piękni i bogaci… Tu nie było miejsca, dla byle kogo. Tu przychodziła elita, kwiat, hermetycznie zamknięty w pudełku z przepychu i próżności… Wyszukane kreacje, markowe garnitury i zapach drogich perfum, mieszał się z codziennością tych ludzi – władzą, i pieniędzmi.

Tysiące słów zatopionych w morzu alkoholu. Pomysły, przepalane tuzinami papierosów. Blask dotychczas niespełnionych marzeń, odbijających się w lustrzanej kuli...

Następnego dnia, około południa wezwano Adamka. Niczego nie domyślający się mężczyzna, uprzejmie przywitał się z szefami. Oprócz Jacka i Tomka, w pokoju była jeszcze dyrektor personalna, kobieta z natury dobra i łagodna, lecz bez wątpienia przewrażliwiona na punkcie dobrego funkcjonowania przedsiębiorstwa.

– Siadaj, Leszek – zaproponował Tomek.

– Dziękuję.

Chwila ciszy. Adamek spojrzał na obecnych. Zorientował się, że coś jest nie tak jak trzeba.

– Słuchaj, Leszek – zaczął powoli Jacek – już od jakiegoś czasu, dochodziły nas słuchy, że zachowujesz się dziwnie. To znaczy, twoje zachowanie jest podejrzane...

– Nie rozumiem – zdziwił się mężczyzna.

– Powoli. Zaraz ci wszystko wyjaśnię. Postanowiliśmy, że bliżej przyjrzymy się twojej osobie i niestety...

– Dalej nic nie rozumiem, Jacku – zdenerwował się Adamek – sugerujesz, że robię coś wbrew oczekiwaniom firmy? Ktoś ma mi coś do zarzucenia? Naprawdę, nie wiem o co chodzi...

Lipski wstał z krzesła i swoim zwyczajem podszedł do okna.

– Zapytam wprost. Co robiłeś wczoraj przy kontenerach ze śmieciami?

Adamek zdziwił się tym pytaniem – Wczoraj… czekaj. Aha, pamiętam. Ładowałem porozrzucane kartony i jakieś papierzyska.

– A po co? – wtrącił się Tomek.

– Jak to, po co? Były porozrzucane, bo ktoś upchał do jednego kontenera górę śmieci i wiatr zaczął je roznosić po całym placu… Co w tym dziwnego?

– To akurat wiemy – powiedział ostro Jacek. Spojrzał znacząco na Tomka. – Uchwyciła to wszystko kamera zakładowa. Niestety… Wczoraj, pani Figurska zgłosiła kradzież nowej wiertarki. Zresztą, bardzo drogiej…

– A co to ma do rzeczy? – zaniepokoił się Adamek.

– Bo tak się składa, że wiertarkę znaleziono w kontenerze…

– Co?! – zirytował się Adamek.

– Nie wywiniesz się z tego Leszek! – naskoczył na niego Tomek. – Konsultowaliśmy się z firmowym prawnikiem. Oglądał zapis kamery, który nie pozostawia wątpliwości…

– Ukryłeś wiertarkę w śmieciach. Potem chciałeś wywieźć kontener, tak aby można było spokojnie schować narzędzie do samochodu.

– Rany boskie, Tomek, o czym on mówi?! Znacie mnie! – Adamek spojrzał błagalnym wzrokiem na obecnych. Rode stał twarzą do okna. Personalna odwróciła głowę. Lipski rozłożył ręce.

– Takie są fakty... Niezaprzeczalne – powiedział spokojnym głosem.

Adamek pobladł.

– Nie, to jakieś wielkie nieporozumienie...

– Nieporozumienie? – zaśmiał się Jacek. – Chłopie, za takie rzeczy można trafić do pierdla! Nie rozumiesz tego?! Wiertarka kosztowała ponad tysiąc złotych!

– Ludzie...

Rode pokiwał głową, udając zbulwersowanie.

– Wiesz... Nie spodziewaliśmy się tego po tobie. Stary pracownik... Ech...

– Co mam zrobić, żebyście uwierzyli, że nie mam z tą sprawą nic wspólnego! – mężczyzna miał łzy w oczach. – Przepracowałem w zakładzie ponad dwadzieścia lat... Mam dobrą pensję. Na cholerę miałbym kraść! – bronił się.

– No właśnie! Po co to zrobiłeś?! – nie dawał za wygraną Jacek.

– Jezu, nic nie zrobiłem! Przysięgam!– krzyczał Adamek.

Nastało krótkie milczenie. Tomek spojrzał na Adamka.

– Leszek, zrobimy tak. Słuchaj mnie. Albo napiszesz podanie o natychmiastowe zwolnienie...

– ...albo oddajemy sprawę do prokuratury – dokończył Jacek.

– Wybieraj...

Adamek schylił głowę. Był człowiekiem uczciwym. Za bardzo uczciwym. Gdyby był cwaniakiem, może by się wybronił. Zażądał dowodów. Jednak na tego prostolinijnego i poczciwego mężczyznę, spadło to wszystko jak grom z jasnego nieba. Został odpowiednio zaatakowany i zastraszony. Nie miał żadnych szans...

– Dobrze – powiedział cichym głosem – poproszę kartkę i długopis...

Personalna podała mu to, o co prosił.

– Może się pan już przebrać i iść do domu, panie Leszku – odezwała się po raz pierwszy.

– Co ja teraz zrobię? – mówił Adamek. – Mieszkam sam. Mam czterdzieści dziewięć lat... Ta firma, to było dla mnie całe życie. Gdzie ja znajdę pracę...

– Na to już niestety, nie mamy wpływu – odpowiedział sucho Rode.

Pół godziny później, Jacek i Tomek, stali przy automacie z kawą i rozmawiali.

– Mówiłem ci, że pójdzie jak po maśle? – powiedział zadowolony z siebie Jacek.

– No ten numer, z tym prawnikiem. To było dobre – wtórował mu Tomek. – Rozpłakał się, biedaczysko hehe.

Jacek wzruszył ramionami.

– Rozkleił się. Co się dziwisz... Słuchaj, a ten twój kumpel, to kto to jest?

– Ze studiów. Taki jeden... Poznasz go. Jutro przyjedzie z papierami...

Jacek uśmiechnął się.

– Karolina laska pierwsza klasa…

– Na dodatek, ma kasiastych staruszków. Warto by się z nią zatrzymać na dłużej.

– No to w czym problem? – zapytał Jacek.

– W czym... Musze zerwać z Gośką. A to nie będzie takie proste – zadrwił Tomek.

Zadzwonił telefon Jacka.

– Słucham… na stołówce. Co takiego?! Kiedy?! Wezwano pogotowie? Zaraz tam będziemy…

Tomek spojrzał na Jacka pytającym wzrokiem.

– Adamek… podciął sobie żyły…

– Chyba żartujesz… – niedowierzał Tomek.

– Znaleźli go w łaźni – powiedział Jacek. Twarz mu pobladła, usta zaczęły drgać. – Chodźmy tam szybko!

Szybkim krokiem weszli na halę produkcyjną. Huk maszyn. Zapach smaru i przepalonego oleju uderzył ich w nozdrza. Normalnie, niechętnie tu przychodzili. Nie interesowała ich produkcja, tylko zyski. Od pilnowania pracującego motłochu, mieli swoich ludzi. Koordynatorów – poganiaczy. Tu pot i krew, nierzadko mieszały się ze łzami. Praca była katorżniczo ciężka. I słabo płatna. Ale w tym cudownym kraju życzliwych ludzi, taki stan rzeczy to normalka. Chodzi o to, aby wycisnąć jak najwięcej, tanim kosztem. A w razie czego wyrzucić na zbity pysk! Szmata się zużywa, więc do śmieci z nią! W tym uroczym kraju nad Wisłą, gdzie bandzior, cwaniak i szuja mogą czuć się bezpiecznie, wyzysk człowieka przez człowieka, stał się niezaprzeczalnym faktem.

Kiedy weszli do szatni, było w niej kilka osób. Adamek leżał na ziemi. Miał podcięte żyły na obydwu przegubach. Wykrwawił się. Jego twarz była biała jak mąka. Miał otwarte oczy. Jackowi zdawało się, że patrzą na niego i mówią „zobacz, co zrobiłeś…"

– Kto go znalazł? – zapytał Tomek.

– Ja – odpowiedział młody, przystojny chłopak w poplamionej smarem koszuli – natychmiast zadzwoniłem po pogotowie…

– Ok. – powiedział Tomek.

Tomek spojrzał na Jacka.

– No i co się gapisz?! – zdenerwował się tamten.

– Nic nie mówię…

– To nie mów! I nie patrz tak na mnie!

Z oddali usłyszeli sygnał ambulansu…

– Panowie – powiedziała prezes Buczek do zgromadzonych – jak się domyślacie, wezwałam was tu po to, ażeby oznajmić moją decyzję, o której od dłuższego czasu spekuluje się w firmie. Tak więc – to prawda. Odchodzę na emeryturę…

– Pani prezes, nie! – zawołał Lipski.

– Dlaczego?! Co teraz będzie?! – odezwało się kilka głosów.

Prezes spojrzała na zebranych.

– Jestem już zmęczona i muszę odpocząć. Tych ponad czterdzieści lat, spędzonych w przedsiębiorstwie to były cudowne lata. Ale kosztowały mnie również wiele zdrowia. Dlatego też moja decyzja jest nieodwracalna.

– Ależ pani prezes… dlaczego? – zapytał Rode.

Buczek machnęła ręką.

– Postanowiłam i złożę wniosek pod głosowanie, że w przyszłości nie będzie dwóch następców. Prezesem zostanie jedna osoba. Znam życie na tyle dobrze, że wiem, iż nie wyszłoby to firmie na dobre. Stawiam wniosek, aby prezesem został dyrektor Lipski.

Czarne chmury zebrały się nad głową Jacka. Rozczarowanie, gniew i zazdrość zawładnęły jego sercem i duszą. Był pewien, że to on zostanie prezesem. No, ewentualnie wspólnie z Tomkiem. Uważał, że jest bardziej operatywny, bardziej kompetentny i miał więcej energii. No tak, ale Tomuś był pupilkiem pani prezes. Potrafił się jej bardziej podlizać. Więc cały wysiłek dla poszedł na marne…

Siedział na ławce w parku, pod starym dębem i ukradkiem popijał z butelki wódkę. Zadzwonił telefon. Ula. Znowu nie odebrał. To już któreś z kolei nieodebrane połączenie. Zapalił papierosa. Chwilę potem dosiadł się do niego barczysty, potężny facet o rudych włosach.

– Siema! – powiedział rudzielec.

– Siema! – odpowiedział Jacek.

– Sam pijesz? Problemy, czy po prostu tak nisko upadłeś? – zapytał z lekką ironią.

– Gówno cię to obchodzi! – zdenerwował się Jacek. Napił się wódki.

Rudzielec uśmiechnął się.

– Widzę, że jednak problemy… Co się urodziło?

– Potrzebuję pomocy…

– Jak zawsze zresztą. Kogo tym razem?

Jacek pokręcił głową.

– Znasz go… ze studiów…

– Znam…?

– Tomek…

Rudy zdziwił się tak bardzo, że aż się wyprostował.

– Uuu! To poważna sprawa! Przyjaźniliście się…

– Gdyby nie była poważna, to bym do ciebie nie dzwonił. – Jacek wziął kolejnego łyka. – Napijesz się?

– Nie, dziękuję. Przyjechałem samochodem. – Rudy wykonał gest kręcenia kierownicą.

– Ja też… – powiedział Jacek.

– Jak to się ma odbyć?

Jacek zastanowił się chwilę.

– Jutro idziemy do nocnego klubu. Napadniecie nas, jak będziemy wsiadać do samochodu. I powiedz swoim, żeby nie lali kobiet. Będzie z nami moja żona…

– Jasne! – pokiwał głową Rudy. – Słuchaj, stary... Jeżeli chodzi o kasę...

– Dostaniecie dwadzieścia tysięcy! Zależy mi bardzo, żeby długo, długo chorował... Rozumiesz?

Rudy pokiwał głową.

– A teraz wypierdalaj! Chcę posiedzieć w samotności.

Było dobrze po dwunastej, kiedy opuścili nocny klub. Gdy weszli na parking, podeszło do nich trzech osiłków. Jeden z nich uderzył Jacka w twarz. Upadł. Dwóch pozostałych dopadło Tomka. Kopali go gdzie popadło. Kobiety wrzeszczały, wzywając pomocy. Jacek udawał, że jest nieprzytomny. W pewnej chwili Tomek, ku zaskoczeniu osiłków, wyciągnął zza paska pistolet i wymierzył w jednego z nich. Zawahali się...

– Ruszycie się, a rozwalę wam łby... – powiedział cicho. Wytarł zakrwawioną twarz. – Zostawcie nas...

Nagle, nie wiadomo skąd, zjawił się Rudy i szybkim ruchem wyrwał Tomkowi pistolet. Ten złapał Rudego za nogę. Jacek, przez cały czas leżał z zamkniętymi oczami. Pistolet wypalił dwa razy.

– O, Boże! – krzyknęła Karolina. – Tomek!

Jacek usłyszał, jak Rudy i jego ludzie uciekli. Podniósł głowę. Ula i Karolina płakały nad zwłokami Tomka. Jacek poczuł ulgę...

CZŁOWIEK, KTÓRY NIGDY NIE KŁAMAŁ

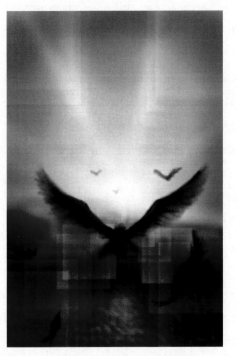

dedykuję mojej zmarłej babci

Znałem kiedyś pewnego starszego mężczyznę. Mógłbym nawet pokusić się o stwierdzenie, że przyjaźniliśmy się, choć była to bardzo specyficzna przyjaźń. Potrafiliśmy godzinami przesiadywać w jego sennym, bajecznie wyglądającym ogrodzie i rozmawiać… o wszystkim… i o niczym…

Jako dziecko, często jeździłem do mojej babci na wieś. Spędzałem tam niemal całe wakacje. Powietrze pachnące rumiankiem, koperkiem w południe, a wieczorem szelest koników polnych, wśród traw. Jabłka, wiśnie, grusze otaczające dom moich dziadków, wierzby i brzózki stojące wzdłuż drogi. Podkarpackie wzgórza i wzniesienia, zapach zboża i lasów... To wszystko wrosło we mnie i żyje do dzisiejszego dnia. Godzinami łaziłem po zielonych wzgórzach, udając żołnierza, Indianina lub japońskiego samuraja. Fantazji nigdy mi nie brakowało. Wychodziłem na sam szczyt Dąbrowy, a stamtąd rozciągał się przede mną najpiękniejszy widok, jaki w życiu widziałem. Rzeka płynąca wśród uginających się nad nią drzew.

Pamiętam ten słoneczny dzień. Stałem przedpołudniem naprzeciwko wysokiego modrzewia i kombinowałem, co zrobić, żeby nie iść z babcią w pole plewić buraki. Słońce grzało mi plecy, a wiatr owiewał delikatnie twarz. Cudowne uczucie... Nagle zaszeleściły krzaki i wyłonił się z nich jakiś brodaty stwór. Wystraszyłem się bardzo, rzuciłem swój kij i uciekłem. To było moje pierwsze spotkanie z moim starym przyjacielem... Dopiero później, dowiedziałem się od mojej babci, że to nie żaden stwór tylko „zwykły chłop", który nigdy nikomu nic złego nie zrobił – wręcz przeciwnie, zawsze pomógł.

Nic więc dziwnego, że kilka dni potem, siedziałem u Jaśka przed jego chatą i popijaliśmy kompot z wiśni. Okazało się, że to człowiek uczciwy, wesoły i serdeczny. I zawsze mówił prawdę. Dzisiaj takich ludzi jest jak na lekarstwo… Jego skromny dom położony był pod lasem. Od tamtej pory, ilekroć byłem w tamtych stronach, odwiedzałem starego Jaśka.

Nieprzewidywalne są koleje ludzkiego losu; życie sprawiało mi często figla. Uciekło dzieciństwo, mrok wkradł się w młodzieńcze lata, zatapiając w alkoholu moją niewinność. Szybko spróbowałem miłości i szybko się ona skończyła. Nie mając dwudziestu lat, już byłem bez granic oddany nałogowi, który progresywnie pozbawiał mnie człowieczeństwa. Oddaliłem się od rodziny i dawnych przyjaciół, poddając się całkiem hulaszczemu życiu. Ile to łez wylanych przez moją matkę, ile próśb i gróźb rodzeństwa… Ile starań moich znajomych… Za nic to miałem, za nic ich miałem. Stawałem się na przemian agresywny i zamknięty w sobie. Wreszcie, ku uldze rodziny i radości przyjaciół, ojczyzna upomniała się o mnie. Prócz strzelania, czyszczenia butów i jeszcze większej agresji, niczego dobrego się w wojsku nie nauczyłem. Przeciwnie, pogłębiło się moje nieszczęście, dodatkowo podszyte nienawiścią do munduru. Jak wampir, ukochałem nocne życie i wałęsając się po nocnych barach z nikczemnymi typami, przepuszczałem swoje marne pieniądze i zdrowie…

Pamiętam, był początek lata. Wróciłem do domu po nocnej balandze, a moja mama ze łzami w oczach, stała w progu. Z telegramem w ręku.

– Babcia umarła – powiedziała krótko, lecz widząc moje prze-
pite oczy, odwróciła się i zamknęła w pokoju. W pierwszej chwili,
pomyślałem sobie: „Umarła… Stara była, to umarła." Jednak po
chwili, ogarnął mnie jakiś dziwny żal. Żal, za tą staruszką, która
nigdy niczego złego mi nie zrobiła. Więcej, kochała mnie, zawsze
troszczyła się o mnie, gdy przyjeżdżałem do niej na wakacje. A ja
nawet, przez te wszystkie lata, nie wysłałem do niej pocztówki…

Krótko wspomnę na temat żenującego spotkania z całą rodziną podczas pogrzebu, tych spojrzeń, mojego wstydu i upokorzenia… Jako czarna owca stałem z tyłu, nie patrząc nikomu w oczy.
Jednak wśród tych chłodnych i wyniosłych postaci, dostrzegłem
uśmiech mojego starego przyjaciela, którego nie widziałem tyle
lat. Dziadziuś zrobił się jeszcze większy niż był. Ale jego oczy
błyskały tą samą mądrością i radością życia, co zawsze. Wieczorem
zajrzałem do niego.

– Mówisz, że cię dziewczyna rzuciła – powiedział, siedząc
w swoim bujanym fotelu – i życie ci się wtedy zawaliło…

Słońce zachodziło, świerszcze grały wieczorną muzykę, a ja
słyszałem bicie swojego serca.

– Tak było… – odpowiedziałem zmieszany.

Staruszek pomyślał chwilę. Potem spojrzał na mnie.

– Miałem wtedy osiemnaście lat. Moi państwo zawiadomili
mnie, że mój tata umarł. Matka zmarła trzy lata wcześniej na

suchoty. Z bólem serca szedłem drogą z Tarnowa. Kawał drogi. Na piechotę. Nie było autobusów, jak teraz. Myślałem o młodszym bracie, młodszej siostrze. Co z nimi się stanie? Ja miałem pracę u moich państwa. Dobrą. Dobrze płatną. Praktycznie utrzymywałem rodzinę, bo z roli nie szło wyżyć. Takie były czasy… No nieważne… Po drodze, dowiedziałem się od panicznie wystraszonych ludzi, że Niemcy napadli na nasz kraj i z samolotów rzucają bomby. Mało nieszczęść na mnie spadło, jeszcze i to. Zachodzę do domu; a tu płacz, rodzeństwo zabidzone, sąsiadki jedzenie przynosiły, żeby dzieci z głodu nie umarły… Pochowaliśmy ojca. I co dalej? Jak żyć? Do Tarnowa nie mogłem wrócić, bo jak miałem dzieciska zostawić? Poza tym wojna się rozszalała. Nająłem się do roboty u Lejba Rosenberga. Miał karczmę we wsi, ale oprócz tego handlował królikami. Doglądałem zwierząt, dokarmiałem. Płacił marnie, ale jakoś dało się przeżyć. Niemcy zaglądali rzadko do wsi, bo to kiedyś była dziura straszna…

Latem, czterdziestego drugiego, podjechali pod karczmę Rosenbergów. Obserwowałem wszystko z króliczarni, schowany za klatki. Dali im dziesięć minut na spakowanie najpotrzebniejszych rzeczy. Rosenbergowa lamentowała niemiłosiernie, ale ubrała małą Hajkę i wsiadła do ciężarówki, gdzie siedzieli Żydzi z innych wsi. Ale stary Lejb ani myślał zostawić swojego dobytku, zaczął się stawiać, to go Niemcy zatłukli kolbami… Chciałem krzyczeć – co robią, krzyczeć że to nieludzkie! Ale strach mi na to nie pozwolił. I znów zostaliśmy bez środków do życia. Mój brat Józek, pasł krowy sołtysa, siostra zajmowała się domem, a ja najmowałem się do każdej roboty. Murarka, sianie, koszenie, oranie. Byleby jakoś przeżyć. Pewnego dnia, nad wsią zawisły czarne chmury. Niemcy mianowali trzech Ukraińców, z Galicjen SS żeby doglądali wszystkiego we wsi. Co to były za zbiry, co za łotry, to pojęcia nie masz. Gwałcili, rabowali, bili, urządzali pijackie hulanki. Robili co chcieli. Razu jednego, dla zabawy, pozarzynali kozy sąsiadowi. Potem spalili jego stodołę. A drugiego sąsiada, to tak sprali, że za dwa dni chłop umarł. Strach zapanował we wsi. Jak się to teraz mówi, Ukraińce terroryzowali nas, mieszkańców. Nie powstrzymałem się kiedyś, zaczepiłem jednego z nich Andrieja. Mówię mu, że tak nie można. To nieludzko. Zaśmiał się tylko i gruchnął mnie z całej siły w gębę, aż padłem na ziemię. Niedługo potem, zgwałcili po pijaku Zośkę, moją siostrę. Prosiłem ludzi we wsi – zróbmy coś, bo nas wszystich pozabijają w końcu. Mówiłem, chodźmy na skargę do Shwarzstiegera, do Niemca. Ale ludzie bali się. To esesman, mówili. Poszedłem sam do Dębowej. Bałem się. Lecz wywaliłem szwabowi całą prawdę. Dwa dni potem zajechał oddział niemiecki do naszej wsi. Zamarliśmy z przerażenia, widząc żołnierzy z karabinami. A oni? Związali Ukraińców, zawlekli w moczary i powiesili…

Zapadła cisza. Nie wiedziałem co powiedzieć. Dziewczyna mnie rzuciła i zacząłem pić. Co za banał… Co za bzdura… Jaki

to idiotyzm! Ale argument, ale powód aby niszczyć sobie życie.
Było mi wstyd za te wszystkie bezsensownie zmarnowane lata.
Za łzy mojej matki…

— Życie to prosta droga — powiedział spokojnie — to ludzie
lubią budować skrzyżowania…

Niebo było gwiaździste. Powietrze pachniało lasem.
Słyszeliśmy szelest owadów…

KAMILA

dedykuję mojej szwagierce Ewelinie

W zeszły wtorek zadzwonił do mnie mój stary przyjaciel. Trochę byłem zaskoczony, ponieważ nie kontaktowaliśmy się już od dłuższego czasu. Nawiasem mówiąc od dwóch lat... Jednakże postanowiłem iść na to spotkanie. Muszę przyznać, że byłem trochę wzruszony. Ale emocje i wzruszenia, to codzienne towarzystwo melancholików – więc to nic nadzwyczajnego.

Paweł był moim przyjacielem od lat szkolnych. Właściwie to nasze drogi rozeszły się wtedy, kiedy ja poszedłem do wojska, a on na studia. Pod koniec lat dziewięćdziesiątych założył własną firmę transportową i wkrótce stał się człowiekiem majętnym. Ożenił się z naszą wspólną koleżanką Dorotą. Nawiasem mówiąc, obydwaj kochaliśmy się w niej, ale ona w końcu wybrała Pawła… I trudno się dziwić; zawsze wesoły i rześki, skory do rozmowy. Ponadto elokwentny i konkretny. Mówił rzeczowo i na temat. Słowem, urodzony biznesman.

Umówiliśmy się w niewielkim barze, na skraju miasta. Kiedy wszedłem do środka, rozejrzałem się po ciemnej sali. Siedziało kilka osób. Czerwone światło padało na twarz barmanki, która z gracją wycierała szklanki i układała je na srebrnej tacy. Przy barze siedział Paweł.

Trudno wyrazić zdumienie, jakie mnie ogarnęło na widok mojego przyjaciela. Pamiętałem go jako zawsze eleganckiego, przystojnego bruneta, z błyskiem w oku i o wiecznie uśmiechniętej twarzy. Kobiety uwielbiały go za jego optymizm i poczucie humoru. A dziś? Miałem przed sobą nieogolonego menela, z posiwiałą głową i wychudzoną twarzą. W pożółkłych od papierosów palcach trzymał kieliszek, na który łapczywie spoglądał. Jak gdyby chciał przeciągnąć moment połknięcia przezroczystego płynu… Jednakże na mój widok uśmiechnął się serdecznie i przywitał, przyciskając do piersi. I tu muszę przyznać, znów ogarnęło mnie wzruszenie…

Usiadłem obok Pawła na wysokim stołku i przez chwilę przyglądaliśmy się sobie. Uśmiechał się swoim zwyczajem.

– Napijesz się? – zapytał.

– Nie dziękuję – odpowiedziałem.

– Ach… zapomniałem. Przecież ty nie pijesz – schylił głowę.

– Ile to już lat?

– W sierpniu będzie jedenaście…

– Kupa czasu. I jak jest?

– Da się wytrzymać – palnąłem.

Spojrzał jeszcze raz na kieliszek i przechylił go do ust. Nawet się nie skrzywił.

– A ja chlam… jak zresztą widać…

Nigdy nie byłem Matką Teresą z Kalkuty, jednak zachowanie mojego przyjaciela, zaintrygowało mnie nie na żarty. Sam kiedyś przeszedłem przez „piekło pijaństwa", więc znam temat bardzo dokładnie. Natomiast Paweł nigdy nie przeginał, jeśli chodziło o alkohol.

– Co się stało? – zapytałem.

Odpalił papierosa i mocno się zaciągnął. Spojrzał na mnie swymi wielkimi, czarnymi oczami, które mimo zniszczonej twarzy, były ładne i głębokie.

– Przegrałem swoje życie, mój przyjacielu – powiedział krótko.

Nie odezwałem się. Nie wiem dlaczego… Z głośników dobiegał głos, nieodżałowanego Jeffa Buckleye'a, który śpiewał swoją „Grace", a mnie coraz bardziej dotykał nastrój jakiejś dziwnej nostalgii.

– Wierzysz w miłość? – zapytał po chwili milczenia.

Chyba zbyt długo się zastanawiałem, bo uprzedził moją odpowiedź.

– Ja wierzę – zaciągnął się – wierzę do końca. Choć ta miłość tak okrutnie się ze mną obeszła. Zniszczyła, odebrała wszystko, zmieszała z błotem. Na koniec zostawiła samego…

– Dorota cię zostawiła? – zapytałem.

– Dorota… – powiedział cicho. – Nie. Nie Dorota… Kamila…

Zorientowałem się w czym rzecz.

– Rozumiem… – spojrzałem mu w oczy.

– Ty jeden mnie zawsze rozumiałeś.

– Tak jak ty mnie – zrewanżowałem się.

Dotknął dłonią mojego ramienia.

– Ale ja dalej nie wiem, co się wydarzyło…

– Dlatego poprosiłem cię o to spotkanie. Muszę to wreszcie komuś wywalić, bo mnie dusi od środka. Rozumiesz? Zabija mnie! A gdyby nie ta wóda, to bym już kurwa dawno zwariował!

Chłopak z dziewczyną, którzy siedzieli obok przy stoliku, zwrócili na nas uwagę. Poklepałem Pawła po plecach, dając mu w ten sposób do zrozumienia, żeby się uspokoił.

– Chcesz usłyszeć moją historię? – zapytał.

– Oczywiście – odpowiedziałem – po to tu jestem…

– Dobrze… Bardzo dobrze. Zatem posłuchaj jak to się zaczęło…

To było dwa lata temu. Moja firma prosperowała wyśmienicie. Razem z Dorotą, rozwijaliśmy działalność i z roku na rok było coraz lepiej. Miałem zamiar zakupić dwa nowe TIR-y, bo szykował się doskonały kontrakt z hiszpańskim przedsiębiorstwem. Dokładnie chodziło o przewóz win z Malagi. Potrzebowałem kogoś, kto zna hiszpański, więc dałem ogłoszenie w internecie. Nie było wielu kandydatów, jednak mnie trafił się ktoś wyjątkowy…

To było jak grom z jasnego nieba. Kiedy tylko weszła do biura – po prostu oniemiałem. Podaliśmy sobie ręce na przywitanie. Przeszedł mnie dreszcz…

– Pierwsze pytanie – powiedziałem żartobliwie. – Czy umie pani mówić po hiszpańsku?

– Naturalmente, senior – odpowiedziała z uśmiechem. Jej niski, dźwięczny głos, był jak łagodna, kojąca muzyka.

– Wyśmienicie – byłem uradowany. – W takim razie, kiedy pani może zacząć?

– Mogę od zaraz… – dotknęła mnie spojrzeniem. Była wysoka i zgrabna. Miała długie, czarne włosy, śniadą cerę i wielkie, zielone oczy. Zapach jej perfum, drażnił moje nozdrza.

– Proszę bardzo – przysunąłem krzesło, by mogła usiąść. Z szuflady wyciągnąłem teczkę. – To są umowy i dokumenty. Bardzo proszę o przetłumaczenie mi tych papierów…

– Z największą przyjemnością – powiedziała tym swoim melodyjnym głosem. – Na kiedy pan potrzebuje polski tekst?

– Na jutro?

– Rozumiem. Jutro, na godzinę dziewiątą, dostarczę panu gotowy materiał.

– Super – powiedziałem.

– Zatem… do jutra… – uśmiechnęła się. Posłała mi spojrzenie, które rozpaliło moje zmysły. Pamiętam, że jeszcze długo unosił się w biurze jej zapach. Nie potrafiłem się skupić. Zbywałem pracowników, nie odbierałem telefonów. Siedziałem na fotelu i myślałem o Kamili.

W nocy nie mogłem zasnąć. Cały czas przed oczami miałem jej piękną twarz. Raz za razem spoglądałem na zegar, chcąc przyspieszyć czas. Jak nigdy, pragnąłem ranka. A godziny wydawały się latami… Rano odwiozłem syna do gimnazjum, po czym udałem się prosto do biura, co nie było w moim zwyczaju, bo z reguły najpierw jechałem na bazę, pooglądać samochody i pogadać z pracownikami. Poprosiłem Dorotę by zrobiła to za mnie.

Kiedy zbliżała się dziewiąta, serce waliło mi jak młotem. Zjawiła się punktualnie, jeszcze piękniejsza niż dzień wcześniej. Spięła włosy i zrobiła sobie mocniejszy makijaż. Miała na sobie krótką, brązową sukienkę, beżowy żakiet i wysokie, brązowe szpilki. Wyglądała rewelacyjnie.

– Por favor – uśmiechnęła się. – Se trata de un contrato.

– Nie rozumiem ani słówka – powiedziałem lekko stremowany. – Ale myślę, że wszystko odbyło się pomyślnie…

– Oczywiście. To żaden problem. Uczyłam się hiszpańskiego od jedenastego roku życia. Zresztą, mieszkałam jakiś czas w Madrycie.

– Ach! To tłumaczy ten doskonały akcent!

Zaproponowałem kawę. Nie odmówiła. Rozmawialiśmy długo i o wszystkim. Jakbyśmy się znali od zawsze. Okazało się, że mamy wspólne hobby. Amerykańską literaturę i jazdę na nartach. Zanim wyszła, byłem już zakochany. Na koniec wymieniliśmy się numerami telefonów.

– Nie zdziwisz się mój przyjacielu – ciągnął Paweł – jeśli ci powiem, że przez kilka następnych dni, chodziłem jak otumaniony. Straciłem apetyt, nie spałem po nocach, właściwie przestałem się interesować firmą, domem, tym co mnie do tej pory otaczało i pochłaniało. Liczyła się tylko ona. Tylko Kamila – tu poprosił barmankę o kolejną pięćdziesiątkę. Odpalił papierosa i zapytał mnie:

– Wierzysz w miłość od pierwszego wejrzenia?

– Bo ja wiem… – zastanowiłem się – Pewnie takie rzeczy się zdarzają…

Paweł pokiwał głową.

– Zdarzają? No co ty!? Chłopie, ja w to wierzę jak jasna cholera! Poczujesz jak prąd przebiegnie przez twoje ciało i po tobie…

Jednak po tygodniu moje skrzydła zwolniły lotu. Zacząłem się zastanawiać, analizować, kombinować. I w pewnym momencie, doszedłem do wniosku, że przecież to nie ma sensu. Fakt, dała mi swój numer, ale co to ma do rzeczy. Pewnie zrobiła to przez grzeczność. Miała swoje życie, ja miałem swoje. Zetknął nas biznes i nic więcej.

Zacząłem się stukać po głowie. Co ja sobie w ogóle wyobrażałem. Czego oczekiwałem, od kobiety, którą znałem zaledwie dwa dni... „Dureń z ciebie – myślałem – dureń do potęgi entej!" Lecz z drugiej strony, nie potrafiłem nie myśleć o Kamili. Jej oczy, jej sposób wysławiania się, ton głosu, spojrzenie, gracja z jaka wykonywała każdy ruch... Kobiecość, która emanowała z niej w każdym ułamku sekundy... Była anielsko piękna i diabelnie seksowna. Jednym słowem, nie dało się o niej nie myśleć. Na okrągło wspominałem naszą rozmowę w biurze. Jej gesty, jej słowa i uśmiech.

Oszalałem, kiedy któregoś ranka dostałem smsa od Kamili. „MAM UNIKATOWE WYDANIE OPOWIADAŃ E.A. POE. JEŚLI MASZ CHĘĆ TO SPOTKAJMY SIĘ DZIŚ O 18.00 W KAFEJCE 'ORION'– KAMILA". Opanowała mnie niesamowita energia. Natychmiast wybiegłem z biura i pojechałem na bazę. Pracownicy byli nieco zaskoczeni i wystraszeni moim przybyciem, lecz mój wyśmienity humor od razu dodał im odwagi i wesołości. Potem zadzwoniłem do Doroty i skłamałem, że mam ważne spotkanie w Łodzi i wyjeżdżam popołudniu, dodając oczywiście, że nie wiem kiedy wrócę...

O osiemnastej siedzieliśmy w przytulnym „Orionie", popijając kawę i słodkie, białe wino. Nie obchodziło mnie to, czy ktoś nas zobaczy czy nie. Liczyło się tylko nasze spotkanie. Pokazała mi opowiadania Poego, trochę pożartowaliśmy. Nikt i nic nie było w stanie zepsuć tego cudownego nastroju.

– Myślałem o tobie – powiedziałem w pewnej chwili.

– A ja o tobie – spojrzała na mnie i dotknęła mojej ręki.

Motel pod lasem nie miał zbyt wielu klientów o tej porze, tym bardziej, że był środek tygodnia. Jechałem jakieś siedemdziesiąt na godzinę. Nie rozmawialiśmy przez całą drogę. Uśmiechaliśmy się chwilami do siebie, Kamila kilka razy musnęła paznokciami moje udo. Dzika niecierpliwość nie pozwalała nam do końca dopełnić formalności w recepcji, a do pokoju niemal wbiegliśmy.

Kiedy byliśmy w środku zamknęła drzwi na klucz i rzuciła się jak szalona na moje usta, a ja nie pozostawałem jej dłużny. W ułamku sekundy, znaleźliśmy się w satynowej pościeli, spragnieni siebie nawzajem jak dwa młode lwy. Całowałem jej szyję, piersi, jej brzuch, pośladki, kolana i stopy. A ona raz za razem wyprężała swoje młode, cudowne ciało i delikatnie dotykała moich włosów. Złapałem ją za włosy i przycisnąłem do swych ust. Wyrwała się. Usiadła na mnie okrakiem i spojrzała prosto w oczy. Była bezczelnie seksowna. Czułem, że mój penis był jak ze stali, więc nie wytrzymałem długo i rzuciłem się na nią. Jęknęła z rozkoszy, a ja czując się jak Apollo, z całą mocą wbijałem się w nią, aż brakowało tchu. Krople potu spływały mi po twarzy, a ja nie przestawałem. To był szczyt moich pragnień, moich fantazji, być z taką kobietą.

Odwiozłem ja do domu, nie pytając o następne spotkanie. Wiedziałem, że powtórzymy to następnego dnia. Nie myliłem się. Znowu motel, znowu cudowne doznania. I tak kilka dni z rzędu. Dorota nie pytała specjalnie o nic, przyzwyczajona do moich późnych powrotów. Trwało to ze trzy tygodnie, gdy nagle Kamila musiała wyjechać na jakieś pilne sympozjum do Barcelony.

Tydzień bez Kamili. Tęsknota, zazdrość i narastające wątpliwości. Przez cały tydzień ani jednej wiadomości. Nawet smsa. Nie wiedziałem co myśleć… Chodziłem jak z krzyża zdjęty, znowu zaniedbując swoje obowiązki.

Któregoś dnia żona spojrzała na mnie i zapytała:

– Jesteś chory czy co? Chodzisz jakiś struty… Co ci jest?

To było jak iskra na prochu.

– Weź się odczep ode mnie! Co ci nie pasuje? Czego ode mnie chcesz?

Dorota zdębiała. Nie przywykła do takich wybuchów.

– Rany boskie, spytałam tylko…

– To nie pytaj! – wrzasnąłem. Wyszedłem z domu trzaskając drzwiami.

Jeździłem samochodem dookoła miasta, nie wiedząc co robić. Szalałem. Nerwy puściły mi całkowicie. Podjechałem pod market, kupiłem pół litra czystej i siedząc w aucie piłem do trzeciej nad ranem.

Zadzwoniła w końcu po półtoratygodniowej przerwie i głosem tragicznie zmienionym, poprosiła o spotkanie. Nie czekałem ani sekundy, tylko wsiadłem w samochód i w kilka chwil znalazłem się w miejskim parku. Siedziała smutna, oczy miała pełne łez. Kiedy zapytałem co się stało, powiedziała mi, że straciła swoje wszystkie oszczędności. Wszystkie pieniądze wydała na chorą matkę. Zdiagnozowano u niej raka jelit i czeka ją ciężka operacja.

– Nie chciałam ci nic mówić. Wiedziałam, że będziesz się martwił. Wyjechałyśmy obydwie do Barcelony, ale nie na sympozjum, tylko na operację mojej mamy – mówiła – bo sam wiesz, jak w Polsce wygląda leczenie. Ta operacja kosztowała wszystkie oszczędności mojego życia. A chciałam sobie wreszcie kupić własne mieszkanie…

Wybuchła płaczem. Przytuliłem ją. Powiedziałem, że pieniądze to żaden problem. Jeśli będzie chciała, to kupię jej mieszkanie. Spojrzała na mnie i stanowczo odmówiła. Nalegałem, jednak Kamila była nieprzejednana. Powiedziała, że nie chce mnie w żaden sposób wykorzystywać, ani nie liczy na nic innego, tylko na wsparcie z mojej strony. Wtedy powiedziałem, że to mieszkanie będzie naszym azylem. Że nie będziemy się musieli spotykać pokątnie, ale spokojnie i bez stresu.

Uśmiechnęła się nieznacznie.

– Nie przypuszczałam, że w ten sposób to sobie wymyślisz – powiedziała i pocałowała mnie w usta.

– Dla ciebie zrobię wszystko…

– Naprawdę wszystko?

– Wszystko…

Miesiąc później urządzaliśmy swoje gniazdko, oczywiście tak, jak chciała tego Kamila. To były najszczęśliwsze chwile w moim życiu. Ona pracowała w domu, więc mogłem przyjeżdżać kiedy tylko chciałem. Któregoś dnia, zapytała czy mógłbym jej pożyczyć samochód. Chciała odwiedzić matkę i nie chce się tłuc pociągiem. Jeszcze tego samego dnia kupiliśmy dwuletnią Corsę.

Kiedy wieczorem wróciłem do domu, czekała mnie przykra niespodzianka. Moja żona sprawdziła biling telefonu firmowego i okazało się, że najwięcej połączeń było na numer Kamili. Trudno żeby było inaczej…

Odważnie przyznałem się do wszystkiego, nie bacząc na konsekwencje. Nie było sensu kłamać, gmatwać i komplikować wszystkiego jeszcze bardziej. Dorota rozpłakała się. Powiedziałem, że odchodzę. Zrzekam się prawa do firmy, nie chce niczego poza prywatnym kontem. Wiedziałem, że Dorota doskonale radzi sobie z firmą, więc poprowadzi ją może nawet lepiej niż ja. Zostawiłem jej dom, całą firmę, samochód i firmowe konto. Przecież wiedziałem, że na prywatnym koncie mam półtora miliona złotych, wysoko oprocentowanych, więc standard mojego życia, nie zmieni się nic a nic. Najważniejsze było to, że wreszcie mogłem być z Kamilą. Jawnie, bez jakiegokolwiek ukrywania się. Sprawa rozwodowa przeszła bez większych przeszkód. Moja żona nie robiła problemów. Zawsze była dumna, więc i tym razem zachowała klasę...

– Byłeś szczęśliwy. Co się wydarzyło, że... – przerwałem Pawłowi.

– ... że doprowadziłem się do takiego stanu... otóż los lubi płatać, figle więc wszystko potoczyło się nie tak, jak to sobie zaplanowałem...

– Zupełnie dla niej oszalałem. Nie bacząc na nic, wydawałem tysiące, na wszystko czego zapragnęła. Wycieczka do Egiptu, wakacje na Dominikanie, weekendy w Alpach i Paryżu. Biżuteria, ciuchy, wszelkiego rodzaju zachcianki – miała tego bez liku. Pewnego razu, za kolację w jednej z warszawskich restauracji zapłaciłem cztery i pół tysiąca...

Spędzaliśmy ze sobą bardzo dużo czasu. Nienawidziłem tylko, tych jej wyjazdów do matki. Choć tłumaczyłem sobie, że przecież jest chora, jednak te rozstania były dla mnie psychicznym cierpieniem.

Pewnego razu, przy porannej kawie, powiedziała patrząc mi w oczy:

– Chcę zostać twoją żoną…

Zdumiałem się. Nigdy by mi nie przyszło do głowy, że chciałaby wziąć ze mną ślub.

– Mówisz poważnie? – zapytałem z niedowierzaniem.

– A co? Myślisz, że żartuję?

– Nie… nie to miałem na myśli…

– No więc…

Zdębiałem zupełnie.

– Mieszkamy razem już kilka miesięcy, planujemy przyszłość. Dlaczego by tego nie uwiecznić małżeństwem?

Uklęknąłem przed nią.

– To ja powinienem poprosić cię o rękę.

– To prawda – zaśmiała się – ale ja pierwsza na to wpadłam. Zresztą nie bądźmy staroświeccy. Ja, ty… Czy to ważne? Powiedzmy, że tę decyzje podjęliśmy wspólnie…

– Wiesz, że bardzo cię kocham – powiedziałem, kładąc głowę na jej kolanach.

– Wiem… i właśnie dlatego powinniśmy się pobrać.

– Jestem bardzo szczęśliwy, kochanie.

– Ja też…

Zatrzepotała długimi rzęsami. Zamyśliła się, po czy zapytała:

– Słuchaj… Chciałam polatać dziś po sklepach. Dasz mi swoją kartę?

– No pewnie. Zawsze ci daję, więc nie musisz o to pytać. Weź ją.

Zastanowiła się chwilę.

– Ciągle się czepiają o tę kartę. Że to nie moja. Że widnieje na niej nazwisko mężczyzny. Wiesz… raz na stacji, sprzedawca nie chciał przyjąć karty. Trochę to było żenujące, bo nie miałam przy sobie gotówki. Ale jakoś go ubłagałam… – uśmiechnęła się.

– Lepiej powiedz, że zaczęłaś go kokietować – zażartowałem i pocałowałem ją w czoło.

– No wiesz… każdy sposób jest dobry, jeśli prowadzi do celu.

– To twoje motto życiowe?

Zmieniła temat.

– To co? Dasz mi tę kartę?

– Dam – powiedziałem – ale … mam inny pomysł. Skoczymy razem do banku. Upoważnię cię do konta i już nigdy więcej nie będziesz musiała kokietować sprzedawców na stacjach benzynowych.

– Zazdrośnik!

– Jeśli chodzi o ciebie, zawsze i wszędzie.

– Wiesz, że gdybyśmy się nie zamierzali pobrać nigdy nie przyjęłabym twojej propozycji.

– No ale skoro zamierzamy…

– No właśnie – zarzuciła mi ręce na szyję – skoro zamierzamy…

Po upojnym poranku, pojechaliśmy najpierw do banku, a potem na zakupy. Wieczorem, zjedliśmy kolację w restauracji. Po powrocie do domu, zadzwonił jej telefon. Zamknęła się w łazience i długo rozmawiała. Kiedy wyszła, oznajmiła mi, że musi na parę dni wyjechać do matki. Jest z nią coraz gorzej.

Kolejne dni bez Kamili. To było nie do zniesienia. Nie mogłem sobie miejsca znaleźć. Teraz wiem, że to była obsesja.

Postanowiłem pochodzić po mieście, choć to nie było w moim zwyczaju. Wyszedłem na długi spacer po parku, potem podjechałem do centrum. Błąkałem się po ulicach do wieczora. Różne myśli przychodziły mi do głowy. Chyba po raz pierwszy dopadły mnie wyrzuty sumienia. Myślałem o Dorocie, o dorastającym synu, o własnym egoizmie, który zwyciężył całkowicie…

Kiedy się ściemniało, postanowiłem wstąpić na kawę do „Oriona". Kiedy miałem już wejść do środka, coś jakby mnie tknęło… Odwróciłem głowę. Do złotego, terenowego BMW wsiadała Kamila w towarzystwie jakiegoś tajemniczego mężczyzny. Było ciemno, więc nie widziałem jego twarzy. Obydwoje byli czymś niezwykle rozbawieni.

Zazdrość, gniew, rozczarowanie miotały mną na wszystkie strony. Wydawało mi się, że to jakiś senny koszmar… Przecież była u chorej matki! Co to wszystko miało znaczyć!

Paweł zamyślił się. Po czym przechylił kolejny kieliszek i rozejrzał się po sali. Było coraz więcej osób. Przeważnie młodzi, którzy przyszli do baru spotkać się ze znajomymi. Barmanka nie wycierała już szklanek z taką gracją, jak przedtem. Przy tylu klientach, musiała coraz bardziej oszczędzać ruchy.

– Nie próbowałeś do niej dzwonić, nie zażądać wyjaśnień…?

Paweł uśmiechnął się.

– Pewnie, że dzwoniłem. Zaraz jak tylko ochłonąłem, wyciągnąłem telefon. Niestety, cały czas włączała się poczta głosowa.

– Co więc zrobiłeś?

– Najpierw pojechałem do sklepu. Postanowiłem wrócić do naszego mieszkania i urżnąć się. Zapić ból…

Chodząc po pustym sklepie właściwie zapomniałem po co w ogóle do niego wszedłem. Żal i ból mną targały. Próbowałem sobie wmówić, że to przywidzenie, że to był ktoś podobny do niej… Ale skąd. To była ona! Moja Kamila. Z jakimś młodym gościem. Wziąłem dwie butelki wódki i podszedłem do kasy. „Jak mogła zrobić coś takiego! – myślałem. – Okłamała mnie! Zadrwiła ze mnie! Boże mój! Przecież tak ją kocham!"

Z tych rozmyślań, sprowadził mnie na ziemię dopiero głos ekspedientki.

– Brak środków na koncie – odbębniła wyuczona regułkę.

– Słucham?– nie bardzo zrozumiałem.

– Mówię, że brak środków na koncie – powtórzyła z odcieniem niecierpliwości.

Czułem jak podskoczyło mi ciśnienie.

– Proszę pani, jeszcze wczoraj wieczorem, płaciłem tą kartą rachunek w supermarkecie. Więc proszę mi nie mówić, że konto na którym jeszcze wczoraj popołudniu było ponad milion złotych, nagle opustoszało!

– Ale mnie nie interesuje, ilość pieniędzy na pana koncie – powiedziała już dość dobrze podenerwowana dziewczyna. – Mnie interesuje to, co mi wyskakuje na terminalu. A na terminalu, wyskakuje mi brak środków na koncie!

– Nie, no to jest jakiś koszmar! – powiedziałem do siebie.

Dziewczyna spojrzała na mnie pytającym głosem.

– Płaci pan gotówką?

Wyciągnąłem sto złotych z portfela.

Następnego dnia pojechałem do banku. Dowiedziałem się, iż wszystkie moje pieniądze, zostały przelane na zastrzeżone konto za granicą. To był gwóźdź do mojej trumny…

Nie muszę mówić, że następny tydzień dzwoniłem, nagrywałem się na pocztę szukałem, jeździłem po mieście. Ani śladu. Jak kamień w wodę.

Przepiłem cała gotówkę jaka mi została. W ciągu paru dni. Nie wychodziłem z naszego mieszkania, inaczej jak tylko po wódkę. Kamila zjawiła się po tygodniu. Ubrana na czarno, w ciemnych okularach. Weszła z dwoma osiłkami, którzy natychmiast powalili mnie na ziemię. Zabrali klucze i wyrzucili za drzwi. Znowu myślałem, że to sen. Płacząc, zapytałem ją co się dziej? Co takiego zrobiłem?

– Nic – odpowiedziała beznamiętnie – ale nie waż się tu więcej przychodzić. Zresztą mam zamiar sprzedać to mieszkanie.

– Jak to? – zapytałem. – Przecież to ja kupiłem to mieszkanie...

– Ale jest moje. Ja tu jestem zameldowana, a nie ty.

– Kamila...

– I skończmy z tym! Wynoś się do diabła!

Próbowałem podejść do niej, lecz jeden z dryblasów zastąpił mi drogę. Odepchnąłem go. Dostałem w twarz. Drugi zaczął mnie kopać... Ocknąłem się w piwnicy.

Nie chcę się rozwodzić nad tym, co się ze mną dalej działo. Zostałem doświadczony i upokorzony przez los, do tego stopnia, że nie mając wyjścia poszedłem prosić o pomoc Dorotę. Od czasu do czasu rzuci mi parę złotych. Mój syn nie chce mnie widzieć. Rodzice nie utrzymują ze mną kontaktu. I tak żyję z dnia na dzień, na pograniczu życia i śmierci... Tylko najdziwniejsze w tym wszystkim jest to, że kocham Kamilę do dziś. Mimo tylu okropnych przykrości i upokorzeń, jakich od niej doznałem. Na jedno jej skinienie, rzuciłbym się w ogień...

– Co zamierzasz? – zapytałem Pawła.

Był pijany. Spojrzał na mnie mętnym wzrokiem i palcem przejechał po szyi.

– A po co mam żyć? Nie mam dla kogo. Więc myślę, że to kwestia dni...

Wyszedłem, zostawiając go z jego własnym bólem i beznadziejną rozpaczą. Ale tak w życiu bywa. Jeden traci, drugi zyska...

Wczoraj był pogrzeb Pawła. Skromny. Oprócz jego byłej żony, syna i rodziców, były ze trzy osoby. No i ja... Jego przyjaciel... Pomyślałem, że fajnie by było wypić za niego. Ale przecież ja nie piję od tylu lat. Spojrzałem jeszcze raz na ponury cmentarz... i wsiadłem do swego złotego, terenowego BMW...

KRZESŁO

Mroźny, styczniowy wiatr szczypał ich twarze. Szli bez słowa, nie patrząc na siebie. Tuż obok ławek przy parkowej alejce, skręcili do lasku. Krew na śniegu przerażała świeżością czerwieni...

Wysoki funkcjonariusz przykucnął przy jednej z ofiar.

– Co myślisz? – zapytał.

– Bo ja wiem... – odpowiedziała młoda kobieta, ubrana w puchową, policyjną kurtkę. Pociągnęła nosem i odwróciła głowę w kierunku lasu. – Masakra...

Policjant rozejrzał się dookoła i zatrzymał wzrok.

– Zobacz... ślady butów prowadzą do torów – powiedział.

– Widzę – zgodziła się z nim dziewczyna. – Tam, pod drzewem też są ślady. Wygląda to tak, jakby ktoś się przyglądał całemu zajściu…

Ich spojrzenia spotkały się na kilka sekund...

Mróz doskwierał coraz mocniej.

Około siódmej wieczorem, inspektor Osiecki siedział jeszcze przy swoim biurku. Jego oczy wpatrzone były w pustą kartkę. Trzymał w ręku ołówek, który od czasu do czasu przygryzał. Z radioodbiornika dochodził delikatny jazz. Po chwili, do pokoju wszedł starszy mężczyzna. Był to komisarz Galas, przyjaciel inspektora.

– Jeszcze tu jesteś?

– Tak… Od południa ślęczę nad tymi papierami. Najchętniej poszedłbym już do domu…

Osiecki odłożył ołówek i wziął do ręki plik zdjęć, które zaczął przeglądać.

– Też bym już poszedł… – odezwał się Galas. Po chwili dodał – cholerna robota!

– Żebyś wiedział – skwitował krótko Osiecki.

Galas zapalił papierosa i usiadł naprzeciwko swojego kolegi.

– A jak tam twoja Lenka? Jutro kończy trzy latka, prawda? – zapytał.

– Dzisiaj…

– To ja naprawdę nie wiem, co ty tu jeszcze robisz…

Osiecki zmierzył Galasa wzrokiem.

– Proszę cię… Dorota dzwoniła już cztery razy. Zła jak jasna cholera!

– Wcale się jej nie dziwię… Co za piekielny dzień! – Galas podszedł do ekspresu i nalał sobie kubek kawy.

– O! Widzisz! Byłbym zapomniał! Ty wiesz, że ten przygłupi prokurator przyczepił się do odcisków palców moich ludzi? To bałwan. Przecież wiadomo, że na miejscu włamania dotykali kasy, lady, półek. Normalnie bałwan! Potem się dziwić, że sprawa o byle kradzież ciągnie się miesiącami. Przyczepił się do tych odcisków, chociaż zapis kamery, wyraźnie demaskuje napastnika. A ten swoją drogą, jak już napada na sklep, mógłby przynajmniej zakryć swoją gębę, a nie pozować jak amant z ckliwego filmu. Kolejny bałwan! Chcesz kawy?

– Nie, dzięki. Wypiłem już dzisiaj cztery. Wiesz jaki jest Gałka. Nie kocha policji. Na dodatek jest strasznie upierdliwy, więc czepia się każdego szczegółu. Najchętniej powsadzałby nas wszystkich do paki…

– Mówię ci, to dureń – powiedział Galas.

– Widzę Karol, że naprawdę nie darzysz go sympatią – uśmiechnął się Osiecki.

– Daj spokój! – machnął ręką komisarz. – Pamiętam jedną sprawę, z początku lat dziewięćdziesiątych. Pobicie z uszkodzeniem ciała. Pobitym okazał się oprych, który zaatakował kobietę na przystanku. Według świadków bez żadnego powodu, z całej siły uderzył ją w gębę. Mąż kobiety kupował akurat papierosy w kiosku. Widząc co się dzieje, podbiegł do oprycha i nie bacząc na nic, zaczął go walić, gdzie popadnie. Przesunięta szczęka i połamane żebra. Sprawa wydawała by się jasna i klarowana. Mąż staje w obronie swojej żony. Proste. A co robi nasz pan prokurator Gałka? Nasz pan prokurator dowodzi, że to mąż kobiety był napastnikiem, ponieważ badanie krwi wykazało u niego obecność alkoholu. A u oprycha nie.

– Faktycznie, dureń…

Galas wyciąga z kieszeni, pustą paczkę po papierosach.

– No mówię ci – wstaje z krzesła. – Wiesz co, Mareczku. Skoczę po papierosy. Jak wrócę, to pogadamy jeszcze chwilkę. Zaraz wracam.

W tym momencie zadzwoniła komórka Osieckiego.

– Cholera! Znowu Dorota dzwoni!

– To ja wychodzę – zaśmiał się Galas – nie chcę tego słuchać…

– Dobra idź już…! Proszę…? Nie, to nie do ciebie… mówiłem ci… to nie zależy ode mnie… nie wiem… słuchaj, spróbuję… dobrze, postaram się być za pół godziny… no mówię, że się postaram… no pa…

Inspektor odłożył telefon i przetarł dłońmi twarz. Widać było, że próbuje zebrać myśli. Nagle wstał, podszedł do szafki i wyciągnął z niej teczkę z aktami. Po chwili wrócił Galas.

– Ale zimno! A to dopiero koniec listopada – powiedział pocierając dłonie.

Osiecki spojrzał na swego przyjaciela.

– Słuchaj, stary – zaczął poważnie – już nie prowadzisz tej sprawy o włamanie.

– Dlaczego? – zaniepokoił się stary komisarz.

– Mamy coś o wiele ważniejszego – odpowiedział Osiecki podał koledze plik fotografii. – Spójrz…

Galas przez chwilę przyglądał się zdjęciom.

– Co za rzeźnia! Rany boskie! Kiedy to się stało?

– Dziś rano. W parku…

– Faktycznie. Poznaję to miejsce. Niedaleko starej fontanny. Pod laskiem. Te twarze… zupełnie zmasakrowane. Ktoś do nich strzelał całkiem z bliska.

Osiecki odwrócił głowę.

– Tak, całkiem z bliska…

– Co napisałeś w raporcie? – zapytał komisarz.

– Na razie standard: odciski butów, ślady krwi… nic szczególnego. Nawet nie mieli przy sobie dokumentów. Ale ze wzorów tatuaży na rękach wynika, że nie byli to grzeczni chłopcy… Cholera, dziś nie skończę, nie mam jeszcze wyników badań.

Galas uśmiechnął się.

– Czyli od dziś znowu pracujemy razem, tak?

– Na to wygląda… – odpowiedział inspektor.

– Cieszę się, Marku – uśmiechnął się Galas. – Zawsze miałem do ciebie sentyment. I nie myśl, że to ze względu na twojego ojczulka.

– Nie kłam, stary pryku…

Obydwaj uśmiechają się.

– Zmęczony już jestem – powiedział po chwili Galas, z rezygnacją w głosie. – Trzydzieści lat ganiam za bandziorami i doszedłem do jednego wniosku...

– Mianowicie? – zapytał Osiecki, nie podnosząc oczu.

– Że całe życie się oszukiwałem…

Osiecki uśmiechnął się pod nosem.

– Widzę, że naprawdę cię wzięło na głębokie przemyślenia. A to do ciebie niepodobne.

– Daj spokój! – zdenerwował się stary detektyw. – Co to za życie? Jak nie włamanie to zabójstwo… Rozboje, kradzieże, roztrzaskane twarze… I tony tych cholernych papierów! Co to za życie, kiedy biuro staje się domem, a dom hotelem. W tym całym młynie tracisz poczucie czasu i rzeczywistości. A rzeczywistość to okradane sklepy, dealerzy amfetaminy i rozwalone gęby! W końcu zanika granica między dobrem a złem… Ale tak właśnie jest – kiedy usuwasz szambo, bywa że babrzesz przy tym ręce.

– Narzekasz – syknął inspektor. Spiął akta i włożył je do szuflady. – A powiedz mi, co tam u Adama?

Galas zapala papierosa. Jego twarz pokrył smutek.

– Nie wiem… Nie widziałem się z nim od czterech miesięcy. Nie przychodzi do mnie. Nie dzwoni…

– Czemu nie zadzwonisz pierwszy? – dopytywał się Osiecki.

Komisarz zaciąga się mocno papierosem i po chwili odpowiada:

– Nie mam odwagi…

– Przecież to twój syn.

– Tak… syn… Syn który nigdy nie miał ojca! Bo dla jego ojca ważniejsza była spluwa i odznaka detektywa!

Osiecki wstał z miejsca i wyciągnął z szafki grubą teczkę.

– Słuchaj… co cię dziś napadło?

– Nie wiem… Chyba naprawdę się starzeję. Powinienem iść na emeryturę.

Inspektor uśmiechnął się.

– Karol Galas emeryt! Dobre sobie! A kto będzie za ciebie wywalał szambo?

– Śmiej się, śmiej. Naprawdę o tym myślę. Wczoraj popołudniu, poczułem drętwienie w lewej ręce.

– Pasek od kabury czy chroniczna masturbacja?

Galas postukał się po głowie.

– Nie mam dziś ochoty do żartów – powiedział z lekką irytacją w głosie. – Już kilku z mojego rocznika gryzie ziemię, więc to nic śmiesznego. Na okresowych wyszło, że mam wysokie ciśnienie i podniesiony cholesterol… i to całkiem znacznie.

– Rzuć palenie, bo jarasz jeden za drugim.

– Gdybym tylko potrafił... Z wódą mi poszło, a to gówno...
– zaśmiał się komisarz i wziął do ręki następnego papierosa. –
To wszystko przez tę cholerną robotę.

Osiecki znowu wstaje z miejsca i wyciąga kolejną teczkę z szafki. Przegląda ją bardzo uważnie, po czym mówi:

– Zadzwoń zaraz z rana do laboratorium. Może będą mieć
choć wstępne dane.

– Ok., zadzwonię – przytaknął Galas. – Powiedz mi do cholery, czego ty szukasz w tych pieprzonych teczkach?

Nie usłyszał odpowiedzi, ponieważ do pokoju wszedł tęgi
sierżant i swoim niskim chropowatym głosem oznajmił, że jest
gość, który koniecznie chce się widzieć z detektywami.

– Twierdzi, że coś wie na temat tych morderstw w parku...

Detektywi spojrzeli na siebie. Sierżant czekał cierpliwie na
odpowiedź, gładząc się po brodzie.

– Zaprowadź go do pokoju przesłuchań. Zaraz tam przyjdziemy – powiedział Osiecki.

– Więc, o co chodzi? – Osiecki uniósł do góry swoje gęste,
ciemne brwi.

Obcy milczał. Kołysał się tylko na swym krześle. Wbił wzrok
w ścianę i patrzył na nią jak na jakiś wyjątkowo interesujący
obraz. Po chwili twarz mu poczerwieniała, oczy zaczęły drgać

i wybuchnął głośnym, rozdzierającym śmiechem. Po czym nagle urwał... i znów zrobił się poważny. Bujał się tylko na krześle w przód, w tył, w przód, w tył...

Detektywi spojrzeli na siebie ze zdumieniem. Chyba po raz pierwszy w życiu byli w tak absurdalnej sytuacji. Stary komisarz nachylił się nad biurkiem.

– Jaja sobie z nas robi! – powiedział ostro.

Obcy nawet nie drgnął.

Inspektor usiadł przy biurku i spojrzał w jego nieruchome oczy.

– Z czym pan do nas przychodzi? Bo chcielibyśmy się w końcu dowiedzieć – powiedział, tłumiąc zrozumiałą irytację.

Tym razem Obcy uśmiechnął się tylko pod nosem, spuszczając dłonie w stronę podłogi.

– Tracimy czas! Mówię ci, on jaja sobie robi!... – powiedział Galas zapalając papierosa. I w tym momencie, Obcy podniósł wzrok i przeszył nim postać komisarza.

– Zapewne inaczej byśmy rozmawiali, gdyby nie okoliczności...

Komisarz poderwał się i krzyknął:

– To już jest bezczelność! Co ty sobie wyobrażasz, że będziemy tu z tobą siedzieć i oglądać twoje błazeństwa!?

Lecz inspektor podniósł rękę do góry, chcąc uspokoić w ten sposób swojego kolegę. Przysunął nieznacznie swoje krzesło do Obcego.

– Czekaj, Karol. Jakie okoliczności? – zapytał nieco przyciszonym głosem.

Obcy spojrzał na młodego inspektora.

– Różne... – powiedział, a w jego głosie wyczuwało się coś w rodzaju ironii.

– Różne... to znaczy jakie? – zapytał inspektor.

– A choćby takie, że inaczej byście ze mną rozmawiali, gdybyście klęcząc na kolanach, trzymali ręce założone z tyłu głowy. A ja, powiedzmy, trzymając w dłoni nabity pistolet, celowałbym raz jednemu, raz drugiemu między oczy...

– Dosyć! – krzyknął Galas. – Tego już naprawdę z wiele!

Inspektor ponownie podniósł rękę do góry.

– Celując w oczy... – powtórzył, – A gdzie? Ach... no tak... w parku...

Obcy przygryzł wargę.

– Pan to powiedział...

Nastała krótka chwila ciszy. Komisarz zapalił kolejnego papierosa. Obcy bujał się na swym krześle. Młody inspektor ani na chwilę nie spuszczał z niego wzroku.

– Zapytam wprost – odezwał się nagle – ma pan coś wspólnego z tymi zabójstwami?

Obcy uśmiechnął się pod nosem i pokręcił głową.

– Wreszcie cos konkretnego. Powiedzmy, że coś tam wiem – powiedział.

– Proszę więc mówić. Nas interesuje wszystko – powiedział nieco spokojniej Osiecki.

– Acha… wszystko… Niestety wszystkiego to wam nie mogę zdradzić, ale mogę powiedzieć to co najistotniejsze. Właściwie po to tu przyszedłem. Mogę powiedzieć – tu przerwał, spojrzawszy na swoich rozmówców – ale pod pewnym warunkiem…

– Stary, czy ty nie widzisz – nie widzisz, że to jakiś szajbus? Ewidentnie, leci z nami w kuki, a my słuchamy spokojnie jego pieprzenia, jak uczniaki… Jeśli coś wie, niech gada. Jeśli nie – to niech się wynosi! Szajbus!

– Nie nazwałbyś mnie szajbusem…– odezwał się Obcy.

– Wiem, wiem! Gdyby nie okoliczności! – przerwał mu komisarz. – Sam widzisz. Nie można się z nim dogadać…

– Dobra – Osiecki stracił cierpliwość – skończmy z tym. Jaki to warunek?

– To proste! – odpowiedział z uśmiechem Obcy. – Odpowiedzcie najpierw wy na kilka moich pytań…

– Zaraz mnie szlag trafi! – krzyknął komisarz, uderzając pięścią w biurko.

Inspektor spojrzał przenikliwie na Obcego. Ten stukał palcami o poręcz krzesła. Jego wzrok utkwiony był w popielniczkę pełną niedopałków.

– Dlaczego akurat wam przydzielono tę sprawę? – zapytał.

– Nie wytrzymam tego dłużej! – wrzasnął Galas.

– Spokojnie, Karol – powiedział Osiecki. – To proste. Ktoś musiał się tym zająć. My nie wybieramy sobie pracy. To nie koncert życzeń. Dostaliśmy ją…

– Biedactwa… Tak też myślałem…tak też myślałem… Żal mi was… No bo jaką korzyść może przynieść rozwiązanie tej sprawy? Dwóch zastrzelonych wyrzutków społeczeństwa. Męty… Śmieci… Jeden złodziej, drugi gwałciciel… zgwałcił dwie dziewczyny… Ale, co tam dwie młode dziewczyny… Prawda? O tak! Gdyby zgwałcił co najmniej dwadzieścia, to byłoby coś… Sensacja! A gdyby do tego z pięć zamordował… Uuuu! Seryjny morderca. Cóż byłaby to za sprawa! Ale co tam... dwie, nieważne, nikomu nieznane, zgwałcone nastolatki? Pewnie też nic nie warte... Nie brane pod uwagę przez sąd. No tak, skoro bandzior tak szybko wyszedł z pudła, to chyba nie były aż tak ważne… hehehe!

– Marek, o co jemu chodzi? Co on w ogóle pieprzy? – zapytał komisarz.

– Jeszcze nie wiem… ale niech mówi dalej…

Obcy pokręcił głową.

– Tak… Gdyby to był seryjny morderca… Bez wątpienia, byłaby to zupełnie inna sprawa, coś wielkiego. Zaraz by się zleciały media z całego kraju. Gazety krzyczałyby nagłówkami o sensacyjnym odkryciu zwłok ofiar gwałciciela... Spikerzy, swoimi drżącymi, wystudiowanymi głosami, informowaliby o najnowszych doniesieniach, o postępach w śledztwie. Tak... – zadrwił.

– Centralne Biuro Śledcze dwoiło by się i troiło, żeby jak najszybciej osiągnąć sukces i odnaleźć zabójcę. Tak... Naciski ze strony polityków, zbulwersowana opinia publiczna... To nie żarty. Więc szybko, szybko policjo i sądzie! Żeby zaspokoić prymitywne pragnienia zmanipulowanego tłumu... i zaspokoić jego krwiożerczą, bezinteresowną rządzę zemsty. Zlinczować, zabić, rozszarpać... Taaaak... A ten drugi... Drobny cwaniaczek, złodziejaszek... jakich pełno na świecie...

– Dosyć! – przerwał Galas. – Przyszedłeś nas tu edukować?! Hehe, mądrala się znalazł!

Obcy ukłuł go swym lodowatym spojrzeniem.

– Edukować....? Nie, skąd... Szkoda zachodu...

– Na dodatek nas obraża...

Na twarzy Osieckiego, zauważalny był niepokój.

– Po co to wszystko? Po co ta zabawa? Po co te gierki? – zapytał.

Obcy wybuchnął głośnym śmiechem, aż zatrzęsły się ściany pokoju. Jego śmiech był wręcz przerażający. Detektywi osłupieli i nie potrafili powiedzieć słowa...

– Jakie gry? Jakie gry? – przysunął krzesło bliżej biurka. – Wy macie czelność posądzać mnie o jakieś gry? Haha! A kim wy jesteście, co!? – zapytał gniewnie.

– Bądź, co bądź, stróżami prawa, gdybyś zapomniał... – odezwał się Galas.

– Stróżami prawa! A co to znaczy? Czyjego prawa? Mojego? Czy może tych dwóch bandziorów zatłuczonych w parku… A może tych dwóch zgwałconych dziewczyn…

– Nie próbuj nas wciągać w filozoficzno–moralne dyrdymały, bo nie od tego jesteśmy… – powiedział zirytowany Osiecki.

Obcy w ogóle nie zwrócił na to uwagi, tylko ciągnął dalej.

– Czemuż to więc bandziory wyszły na wolność, skoro pozbawiły tegoż prawa – którego rzekomo tak bronicie – swe ofiary? Jakim prawem niezawisły sąd stawia wyżej oprawców nad ich ofiary? Czyżby ten sąd, aby na pewno, był aż tak niezawisły i tak sprawiedliwy? Czy stróże tego prawa są aż tak nieskazitelni, żeby nazywać się stróżami…

– A kim ty jesteś, żeby o tym rozsądzać, co? No kim? Marnym filozofem próbującym zmienić świat? Chcesz za wszelką cenę pouczać wszystkich dookoła… Przyszedłeś tu i pierdolisz od rzeczy, a my słuchamy twojego pierdolenia, tylko dlatego, że jesteśmy od tego! Że jako stróże prawa, musimy, powtarzam musimy przesłuchiwać takich palantów jak ty! Bo to nasza robota! To my, my jesteśmy od tego, żeby oczyszczać świat z gnoju… Uganiamy się za złodziejami, bandytami, gwałcicielami i różnej maści psycholami, żeby ten świat całkowicie nie oszalał! Myślisz sobie, że to takie proste, takie łatwe… Ha, to nie do opisania, jak wiele nas to kosztuje, to całe babranie się w tym gównie… ale co ty o tym wiesz? Co ty możesz wiedzieć o etyce, o moralności, o wyborze miedzy dobrem a złem? Świat nie jest czarno-biały. To tylko takim palantom jak ty, filozofom – popaprańcom tak się wydaje...

– Ma racje – powiedział Osiecki, jakby do siebie – czasem zastanawiam się czy nie lepiej byłoby zostać w drogówce i...

– ...i babrać się w innym gównie... – dokończył za niego Obcy. – Choć może rzeczywiście byłoby bezpieczniej... Niezła kasa, większe możliwości... Można dorobić... w zależności od stopnia skorumpowania... Ale prawda, każdy orze jak może...

– Bezczelny skurwiel! – wtrącił poirytowany Galas.

– A co? Nie mam racji...

– Zamknij się wreszcie! – krzyknął Galas – nie dorastasz do pięt, ani jemu, ani mnie! Taki mądry jesteś? A cóż takiego dobrego zrobiłeś w tym swoim zasranym życiu!? Nadstawiałeś kiedykolwiek swój tyłek, poświęcałeś i narażałeś życie? Na pewno nie. Bo do tego trzeba być silnym, rozumiesz silnym! Do tego trzeba mieć jaja...

– Fakt – Obcy znów spojrzał na Galasa tym samym lodowatym wzrokiem – to fakt... A ile trzeba siły, żeby znosić pijackie napady męża alkoholika? Nie wspomnę, że sadysty i awanturnika w jednej osobie? Co komisarzu? Twoja żona chyba wie coś na temat... Nie tylko ona, twój syn też...

Galas pobladł w jednej chwili. Krople potu zarosiły jego czoło.

– A ten drugi syn, którego masz ze swoją kochanką? Twoja żona pewnie nic nie wie na ten temat... Ach, prawda, nawet go nie widujesz...

– To nie twoja sprawa, więc się zamknij – wycedził Galas.

Obcy uśmiechnął się pod nosem. Osunął się na swym krześle do tyłu i splótł dłonie za głową.

Inspektor Osiecki podniósł się i powiedział spokojnie.

– Daj spokój stary. Nie dajmy się sprowokować. Widzisz, on już czuje nad nami przewagę. Dużo wie? To się okaże...Dajemy się ponieść nerwom. Masz rację, od początku z nami się bawi. Udaje, gra, próbuje manipulować... Żongluje słowami. Chce wprowadzić atmosferę niepokoju, niepewności. A tak naprawdę, nie wie nic o morderstwie w lesie... Po prostu, chciał zwrócić na siebie uwagę. Znamy takich. Facetów, którym się wydaje, że mają patent na mądrość... A co by było, gdyby na świecie zapanowała nagle anarchia? Bez władzy i ładu. Bez sądów, bez policji, bez całego wymiaru sprawiedliwości, z którego tak drwisz? Jaki byłby ten świat? Powiem ci. Bezkarność i zamęt. Rozpasanie i samosądy... Nieważne jacy jesteśmy. Ważne że jesteśmy...

Obcy kolejny raz wybuchnął śmiechem.

– Śmiechem maskujesz swoje kompleksy... no cóż... to też przerabialiśmy już nie jeden raz. Karol, mamy do czynienia z kolejnym frustratem

– Frustrat? Daj spokój, to świrus! – wtrącił Galas.

Osiecki przeszedł się po pokoju.

– Zrobimy tak: przetrzymamy go czterdzieści osiem godzin – mamy do tego podstawy. W tym czasie powęszymy na twój temat, kolego. Jeśli znajdę choć jeden dowód, kieruje sprawę do prokuratury i pakuję cię do aresztu. Jeden dowód…

Obcy przymknął oczy i powiedział cicho:

– Jeden dowód… A ile dowodów zatuszowano, zniszczono lub pominięto, kiedy potrąciłeś tego rowerzystę? Co?

Osiecki zaniemówił. Twarz mu pobladła. Spojrzał na Obcego pytającym wzrokiem.

– Skąd to wszystko wiem? I dlaczego to robię? – uśmiechnął się Obcy.

Spojrzał na Osieckiego. Przysunął swe krzesło do biurka.

– Żeby udowodnić, jakimi jesteście dwulicowymi kanaliami. Ile w was jest arogancji i obłudy. Nie wspomnę o podłości, bo zżarła was na wskroś. Zabiłeś tego chłopaka. I co? Dosięgła cię ręka prawa? Tak dużo o nim mówicie… Nie, nic ci nie zrobili. Nawet nie sprawdzili, czy byłeś trzeźwy, bo ktoś inny dmuchnął za ciebie w alkomat. Podstawili kolegę, żeby oddał swoją krew, zamiast twojej… Bez wątpienia analiza wykazałaby ze dwa promile. Co mądralo? Czy według ciebie, tak wygląda sprawiedliwość?

Galas odpalił kolejnego papierosa. Pocił się i nerwowo mrugał oczami. Nie patrzył na Osieckiego, który właśnie wstał i odwrócił się do ściany. Obraz, który na niej wisiał przedstawiał stado dzikich koni, wzajemnie chroniących się przed silnym wiatrem. Dużo tu było czerwieni, żółci i jasnego brązu. Inspektor wiele razy spoglądał na to dzieło, lecz nie przywiązywał do niego najmniejszej uwagi. Dopiero teraz zauważył swoisty niepokój, jakim przesiąknięty był obraz.

– Nie wiesz, jak było naprawdę… – odezwał się po chwili.

Galas drgnął.

– No co ty… stary… Chcesz ciągnąć ten temat? A po co? W ogóle, całe to przesłuchanie to jakaś farsa!

– No właśnie – dodał z sarkazmem Obcy.

Osiecki nie słuchał ich. Przymknął na chwilę oczy.

– Była noc… Jechaliśmy dość szybko. To fakt, spieszyliśmy się bardzo, ale nie przekroczyłem osiemdziesięciu na godzinę. Pamiętam doskonale, że co chwilę zerkałem na licznik. W żyłach czułem alkohol. Tak, piłem tego dnia. Ale nie na tyle, żeby stracić samokontrolę. Zresztą powoli trzeźwiałem. Kumpel siedział obok mnie. Jechaliśmy na wezwanie do jakiejś stłuczki. Poza miasto. Byliśmy już prawie u celu, gdy nagle nie wiadomo skąd wylazło tych dwóch na ulicę. Było ciemno… Mimo wypitego alkoholu, instynktownie wcisnąłem hamulec. Samochód wpadł w poślizg, zarzuciło mnie… Coś jakby rąbnęło w tego pieprzonego lanosa! Potem usłyszałem głośny krzyk… Wyszliśmy z samochodu. Mój kumpel podbiegł do leżącego. Byłem w szoku, ale pamiętam, że jego głowa była roztrzaskana… Potem, okazało się że tych dwóch, to byli bracia. Moroniowie. Tak się nazywali. Pamiętam, że brat tego zabitego wrzeszczał coś do mnie, wyzywał od gnoi i skurwysynów. Stałem jak osłupiały. To wszystko działo się tak szybko…

Osiecki odwrócił się i spojrzał na Galasa. Jednak stary komisarz nie patrzył na niego. Twarz miał pobladłą, spływały po niej kropelki potu. Nerwowo zgasił papierosa i natychmiast odpalił drugiego.

– Tej cholernej nocy, miałem jednak dużo szczęścia. Wszyscy wiedzieli, kim kiedyś był mój stary, więc podesłali chłopaka od nas, który dmuchnął za mnie w alkomat. Moroń domyślił się, że coś mataczymy w radiowozie, bo krzyczał jeszcze głośniej. Nazwał mnie psem i poprzysiągł, że mnie zabije... Potem sprawy potoczyły się gładko. Nie stwierdzono u mnie alkoholu we krwi. Wszystkie dowody wskazywały na prawidłowe zachowanie podczas pełnienia służby. Przeciwnie, na rozprawie, mój adwokat wskazał tych dwóch, jako przyczynę wypadku. Udowodnił, że nagle i bez przyczyny, wtargnęli na sam środek jezdni. W sutek czego, nie miałem szans, ażeby w porę zahamować. Sąd przychylił się ku temu...

Nastała cisza.

– Nie mogłem inaczej... – powiedział po chwili inspektor.

– Jasne... – zadrwił Obcy.

– A co ty kurwa, jesteś moim sumieniem! – zdenerwował się Osiecki. – Myślisz, że łatwo mi było?! Tak naprawdę, moją winą było tylko to, że w ten dzień piłem wódę. Każdemu mogło się takie coś przytrafić.

– Każdy inny poszedłby siedzieć – powiedział Obcy.

Galas, dotychczas milczący podszedł do stołu. Sięgnął po kolejnego papierosa.

– Gówno prawda – powiedział niby pod nosem.

Obcy spojrzał na niego z pogardą.

– Co tam mamroczesz? – zapytał.

– Powtarzam, gówno prawda. Gówno wiesz o naszej robocie...

– Daj spokój Karol! Nie musisz mnie bronić. Powiedziałem, jak było naprawdę. Zresztą teraz to i tak nie ma znaczenia. Wiele się zmieniło w moim życiu. Wtedy myślałem zupełnie inaczej. Uczyłem się. Byłem na czwartym roku. Chciałem być taki jak ojciec. Ważny, szanowany. Moja żona kilka tygodni wcześniej urodziła naszą Lenkę. Nie mogłem tego wszystkiego stracić i iść do więzienia. Ten, którego potrąciłem, był drobnym złodziejem, nic nie wartym śmieciem. Nałogowym pijakiem. I tak prędzej czy później by się przekręcił. Ja miałem przed sobą perspektywy. Chciałem żyć... Kilka miesięcy później, zacząłem dostawać pogróżki. Że zginę. Że już niedługo ktoś mnie zabije. Takie tam... Z początku ignorowałem to wszystko. Jednak któregoś dnia, ktoś powybijał wszystkie szyby w moim samochodzie...

– Przestraszyłeś się – powiedział Obcy, nie patrząc na inspektora.

– Tak... Wtedy pracowałem już w kryminalnej. Znałem Karola od dawna. Był podwładnym mojego ojca. Wpadliśmy na pomysł, żeby udupić skurwiela na amen. Należało mu się. Podrzuciliśmy mu trochę sprzętu audio do jego nory. Radia samochodowe, odtwarzacze dvd, coś tam jeszcze. Kilka woreczków amfetaminy. Tak dla pewności. Zrobiliśmy nalot i facet był ugotowany...

– Pogratulować pomysłu – stwierdził ironicznie Obcy.

Galas spojrzał gniewnie na Obcego.

– A jak ty byś się zachował, cwaniaku? Zanim rozwalili Markowi samochód, jego żona dostała anonim, że wkrótce zostanie zamordowana ich córka... Osobiście wcale skurwiela nie żałuję! Takich drani powinno eliminować się bez sądu, bez żadnych skrupułów. Kula w łeb.

– Nie wiedziałem, komisarzu, że masz tak radykalne poglądy... hihi.

– Pieprzysz bez sensu! – rzucił Galas.

Inspektor zaczął nerwowo przechadzać się po pokoju.

– Ciekawe jakbyś ty się zachował? No powiedz... – rozłożył bezradnie ręce. – Pozwoliłbyś żeby ktoś skrzywdził ciebie albo twoja rodzinę? Nie mieliśmy innego wyjścia...

– Czyli – Obcy odchylił się na swoim krześle do tyłu – jednym świństwem, można ukręcić łeb drugiemu...

Osieckiego jakby piorun strzelił. Oparł ręce o blat biurka i zapytał z gniewem w głosie:

– Pytam się jeszcze raz! Co ty byś kurwa zrobił na moim miejscu?!

Patrzyli na siebie przez jakiś czas jak dwa węże gotowe do ataku. Obcy w końcu odwrócił wzrok i uśmiechał się. Widząc to Galas zwrócił się do Osieckiego:

– Znowu sobie z nas robi jaja. Po co ty się mu w ogóle z czegokolwiek tłumaczysz, Marek. Ta rozmowa od początku nie miała sensu.

Jednak Osiecki nie słuchał w tej chwili, co mówi jego partner. Zdjął marynarkę, poprawił włosy i zaczął spokojnie:

– Co widziałeś…

– Wszystko… – odpowiedział Obcy.

Osiecki znowu pobladł. Zaczął nerwowo przechadzać się po pokoju. Galas oparł się o biurko.

– Siedziałem z Moroniem w jednej celi, przez półtora roku – zaczął Obcy. – Przez półtora roku, nie żył niczym innym, jak tylko zemstą. Nie wiem skąd, ale wiedział o was wszystko. Dosłownie wszystko… Uważasz – tu zwrócił się do Galasa – że był śmieciem, jak jego brat alkoholik… Podejrzewam, że jego bystrość i inteligencja, przewyższała was dwóch razem wziętych. Miał analityczne usposobienie i jak na śmiecia, działał w sposób niesamowicie zorganizowany. Jako drobny złodziejaszek, miał wiele czasu, był cwany, więc inwigilował cię inspektorze na wszystkie strony. Był sprytny, powtarzam, więc nie sprawiało mu to zbyt wielkiego problemu. Być może chciał dokonać zbrodni doskonałej. Tego do końca nie wiem

– Czy chodziło mu tylko o Marka? – zapytał Galas.

– Myślę, że początkowo tak. Jednak po tym waszym pomyśle z podrzuceniem sprzętu, wziął na cel również ciebie. Mówił mi o jakimś przesłuchaniu. Naigrywaliście się z niego. Tacy jak on, tego nie lubią…Wrobiliście go we dwóch, więc obydwóm poprzysiągł zemstę. Był typem psychopaty, który nigdy nie zapomina urazy…. Więc prędzej czy później, dosięgła by was jego ręka…

– Pamiętam… jego spojrzenie… – inspektor utkwił wzrok w jednym punkcie. – To było spojrzenie szaleńca. Powiedział, że wykończy mnie i moja rodzinę. Rozwaliłem mu wtedy nos…

Twarz Osieckiego stała się jakby z kamienia. Wbił swój wzrok w Obcego. Ze spokojem podszedł do ekspresu z kawą i nalał sobie filiżankę.

– Karol… – spojrzał na Galasa, trzymając w ręku kubek.

– Nie, dzięki – odpowiedział komisarz.

– Twierdzisz więc, że wszystko widziałeś… Możesz to sprecyzować?

Obcy uśmiechnął się.

– Oczywiście… Kiedy tylko Moroń wyszedł z pierdla, natychmiast do mnie zadzwonił. Spotkaliśmy się wczoraj. Pobalowaliśmy trochę. Rano umówiony był z jakimś starym pierdzielem w parku. Pierdziel miał mu nagrać „lewą” robotę… Poszliśmy tam zaraz. Zaczęło widnieć. Mieliśmy zajebistego kaca. Ten gość przyszedł punktualnie. Okazało się, że był to kumpel Moronia z jego poprzedniej odsiadki. Dziś rano, był cholerny mróz…. Wpadłem na pomysł, że skocze po pół litra, a oni sobie w tym czasie swobodnie pogadają…

Osiecki spojrzał na Obcego i nieco drżącym głosem zapytał:

– Nie rozumiem…

Ten uśmiechnął się pod nosem i pokręcił głową.

– Widzi pan, panie inspektorze – zaczął ironicznie – tak się składa, że zawsze interesowałem się techniką. A na dodatek jestem ogromnym snobem. Zawsze lubiłem wszystko najnowsze, najlepsze, najnowocześniejsze… – wyciągnął z kieszeni telefon komórkowy – a ten model, ma idealny aparat fotograficzny… doskonały zoom…

– Stary – zdziwił się Galas – co on znowu pierdoli? Mówiłem ci, że to bezczelny skurwiel. A teraz przechodzi samego siebie…

Osiecki popatrzył na telefon.

– I co to ma do rzeczy?

Obcy spoważniał i wycedził:

– Popatrz sobie na to… To nie jest żaden fotomontaż… Zrobiłem ten film dziś rano w parku. Poznajesz? Mam jeszcze trzy inne ujęcia. Pewnie chciałbyś zobaczyć.

Osiecki zdrętwiał. Twarz mu się skurczyła jak pysk rozwścieczonego psa. W pewnym momencie, chciał wyrwać telefon z rąk obcego, jednak ten włożył go szybko do kieszeni.

– Hola, hola! Nie tak szybko, inspektorku!

– Czego chcesz? – zapytał bezradnie Osiecki.

Obcy odchylił się do tyłu, odrzucił głowę, jakby miał zamiar przemyśleć odpowiedź. Tymczasem Galas obserwował rozwój wydarzeń. Wiedział, że sytuacja jego partnera jest beznadziejna. Podszedł do Obcego i zapytał:

– Mamy w to wszystko uwierzyć, tak?

– Właściwie, to nie macie innego wyjścia...

Galas spojrzał na swojego partnera, który nieco się uspokoił.

– W takim razie... chyba.. jakoś się dogadamy...

Obcy uśmiechnął się. Po raz pierwszy wstał ze swojego krzesła i przeszedł się po pokoju.

– Wreszcie gadacie do rzeczy... Hmm... Już dawno straciłem wiarę w człowieczeństwo. Też nie jestem święty. Ale to przez takich jak wy stałem się skurwysynem. Siedziałem w więzieniu za niewinność. Dwa lata, rozumiecie! Dwa lata! Za co? Za to, że dałem po mordzie swojemu szefowi. Był mi winien kasę, łajdak jeden. Zaległe wypłaty za cztery miesiące z rzędu. On się nie przejmował. Bo po co. Jeździł na narty w Alpy, a w wakacje latał na Ibizę. Miał w dupie swoich pracowników. Krętacz i bydle skończone. Obiłem skurwiela, aż dostał wstrząsu mózgu. Żałuję, że go nie zabiłem. Przynajmniej bym wiedział, za co idę do mamra... – Tu przerwał na chwilę. – Ale do rzeczy. Sto tysięcy euro i zapominamy o całej sprawie. Na was dwóch to chyba nic wielkiego. Chcę stąd wyjechać, raz na zawsze. Pieprzony kraj pieprzonych cwaniaków. Takich jak wy. Muszę wyjechać. Więc tak jak mówię – sto tysięcy euro. I nie rozmawiamy na temat słabych uposażeń policjantów...

Stary komisarz podszedł do Obcego i spojrzał mu w oczy.

– Skąd mamy mieć pewność, że po otrzymaniu pieniędzy nie ujawnisz filmu? Sam powiedziałeś, że jesteś skurwysynem… – zapytał.

– Musicie mi zaufać. Nie macie innego wyjścia. I bez żadnych firmowych numerów! Bo tym razem inspektorze, nie ujdzie ci na sucho twój występek. Nawet koledzy twojego starego ci nie pomogą, bo tak nagłośnię sprawę, że dowiedzą się o niej w Chinach. Pójdziesz siedzieć. Za morderstwo. Podwójne morderstwo. Więc zastanów się, co lepsze. Sto tysięcy euro czy więzienie. A tam psów nie kochają… Myślisz, że twoja żonka będzie czekać na ciebie? Na mordercę? Nie… Zaraz po ogłoszeniu wyroku, znajdzie sobie pocieszyciela. Córeczka jest mała. Szybko o tobie zapomni….

Osiecki przymknął oczy.

– Co robimy Karol?

Galas wsparł się na oparciu krzesła.

– Myślę Marek, że tym razem nie ma wyjścia…

Nastało kilka sekund ciszy.

– Kto wie, że tu jesteś? – zapytał drżącym głosem Osiecki.

– Nikt – uśmiechnął się Obcy – prócz mnie, was, tych dwóch z dyżurki … no i pana Boga…

– …i diabła! – rzucił Galas. W ułamku sekundy złapał za krzesło i z całej siły rąbnął Osieckiego w plecy. Ten zwalił się natychmiast na podłogę. Następnie wyciągnął z kabury swój rewolwer i strzelił zaskoczonemu Obcemu między oczy. Ten padł martwy obok leżącego inspektora… Komisarz wybiegł na korytarz…

– Szybko! – ryknął Galas do nadbiegających policjantów – Szybko! Niech jeden dzwoni natychmiast na pogotowie!

– Jezu! Co tu się stało – zapytał młody aspirant.

– Jak to co? Nie widzisz ciołku jeden! Ten psychol rzucił się na inspektora! Sprawdź, czy żyje!

Chłopak był blady jak ściana, ale przykucnął i dotknął tętnicy Osieckiego.

– Żyje… – wymamrotał.

W tej chwili do pokoju wszedł stary sierżant i swoim zachryp-niętym głosem zapytał:

– A co z tym?

Młody aspirant podszedł do Obcego. Oczy miał otwarte, a jego głowa leżała w kałuży krwi.

– Trup…

Galas odwrócił głowę.

– Co miałem robić? Nie było innego wyjścia…

Sierżant podszedł do ciała. Spojrzał na Galasa. Ich oczy spo-tkały się.

– No cóż… niezły strzał – powiedział ochrypłym głosem. – Ja od razu wiedziałem, że to jakiś świr. Czułem, że będą przez nie-go kłopoty…

– Tak… Z takimi jak on, zawsze są kłopoty – odpowiedział Galas. Po chwili nachylił się nad ciałem Obcego i dyskretnie wyjął telefon z jego kieszeni…

ŚWIŃSKI RYJ

dedykuję moim „braciom" w nieszczęściu

Pamiętam ten majowy, ciepły wieczór, który upłynniałem w piekielnym barze, niedaleko mojego domu. W tej cholernej, zaplutej i podłej spelunie, którą pokochałem jak nic na świecie. Nic... może to za dużo powiedziane... Bardziej od tej speluny, pokochałem alkohol... Alkohol... Jakie to banalne i suche słowo... Bez krzty romantyzmu. Bezuczuciowe, chemiczne stwierdzenie...

Siedziałem tam trzeci wieczór z rzędu. Byłem już dobrze narżnięty i jak przez mgłę pamiętam tego małego, wychudzonego i obrzydliwego człowieczka, który siedział obok mnie przy barze. Pamiętam jego bezzębne, zgniłe dziąsła, które często pokazywał, śmiejąc się do mnie, jak jakiś podstarzały kurwiszon.

– Może już wystarczy na dziś – odezwał się wielki facet, w poplamionej potem koszuli. Był to właściciel baru. Miał gęsto zarośniętą twarzą i wiecznie mokre czoło. Wyglądem i zachowaniem przypominał Buda Spencera. Szczególnie zaś był wyczulony na niestosownie zachowujących się klientów. Wielki, owłosiony bałwan…

– Słucham…? – zapytałem cicho, choć właściwie zrozumiałem o co mu chodziło.

– Czas do domu – powiedział, przechylając się przez bar.

Do domu… do domu… Po cholerę mam iść do domu. Dobrze mi tu… o kurwa, oblałem się piwem…

– Nie mam zamiaru po raz kolejny, wysłuchiwać brzęczenia twojej starej. Była tu wczoraj i prawiła mi kazania. Nie chciałem ci wcześniej mówić…

Nie chciał mi wcześniej mówić… To bydle… Płaciłem, to mogłem siedzieć. Teraz kasa się skończyła, to wypad…

– Dobra idę – wybełkotałem – idę w cholerę i więcej nie przyjdę do tej speluny!

Spojrzał na mnie z pogardą, swoimi wyłupiastymi oczami.

– Spadaj lumpie – rzucił pod nosem.

„Spadaj lumpie"…ale mi dowalił, fiu fiu!

Ochlaptus, pijak, łachudra, alkoholik, moczymorda, gazownik, menel… Przyzwyczajenie czyni człowieka obojętnym. Stałem się rutyniarzem w wysłuchiwaniu obelg. I na nic się nie zda fakt posiadania tytułu magistra politologii. To nic nie zmienia. Jesteś pijaczyną takim samym, jak ci wszyscy śmierdzący faceci, oblegający monopolowy dwadzieścia cztery godziny na dobę. Dla żony jestem skończonym pijakiem, dla córki świńskim ryjem, dla kolegów z pracy, alkoholikiem, wymagającym leczenia... Brzmi to może bardziej cywilizowanie, ale uwierzcie, znaczy to samo co świński ryj... Tak więc, to jego „spadaj lumpie" nie zrobiło na mnie żadnego wrażenia, tym bardziej, że z chwilą kiedy to powiedział, moja gęba witała się z podłogą, bo jakiś koleś dla żartu, wystawił za daleko swą nogę i chcąc, nie chcąc, zahaczyłem o jego wyglancowany szpic...

Z rozwaloną twarzą, szedłem chwiejnym krokiem, czułem w nozdrzach cudowny zapach majowych kwiatów i młodych liści. Było tuż po deszczu. Pamiętam ten zapach z dzieciństwa, kiedy wieczorem uchyliwszy okna, patrzyłem na wysokie topole, zaglądające do mojego pokoju.

Włożenie klucza do zamka, to poważny problem dla każdego pijaka. Ale można się przyzwyczaić.

– Kurwa jego mać! – zakłąłem siarczyście. – Czy może ktoś przytrzymać te drzwi, żeby tak nie skakały!

Zza pleców, usłyszałem cichy głosik. To sąsiadka z naprzeciwka. Kochana starowinka...

– Panie Rysiu, pan da, ja panu otworzę.

– Z nieba mi pani spadła! – wybełkotałem uradowany – te drzwi dziś strasznie narowiste.

Do moich uszu, doszło piskliwe, wściekłe ujadanie. To mój upier-dliwy sąsiad ze swoim pierdolonym ratlerkiem wyszedł na spacerek.

– No, no… Sąsiad widzę z jakiegoś balu wraca, bo tańczy po klatce, jak lew parkietu… I makijaż odpowiedni na twarzy. Pan uważa, żeby żeberek sobie nie połamać, jak ostatnio…

– Zamknij pysk, trollu – burknąłem pod nosem. A zwracając się do sąsiadki, rzekłem na głos:

– To prawda, droga pani… ludzie dobierają sobie zwierzątka, na obraz i podobieństwo…

Nie udało mi się zawiesić kluczy na haczyku, więc z trzaskiem uderzyły o podłogę. W tym samym momencie zabłysło światło w dużym pokoju.

– Znowu się schlał… Już nie mogę patrzeć, na tego skończo-nego pijaka! – powiedziała moja żona, wchodząc do kuchni.

– W dodatku rozwalił ten swój świński ryj! – dodała córka, ziewając przy tym obojętnie.

Tyle rozmowy. Koniec. Kropka.

Wszedłem do łazienki. Spojrzałem w lustro… Rozbite czoło. Krew na policzku. Czerwone, nabrzmiałe oczy. Mętny wzrok. Popuchnięte usta… Zarośnięta twarz… Ecce homo... Który to dzień z kolei…? Piąty? Szósty…? Właściwie, jakie to ma znaczenie…

Oparłem rękę o lustro… i w tym momencie pękło. „Jeszcze tego brakowało – pomyślałem – znów będzie zrzędzenie". Ciągle było zrzędzenie, pretensje, wyrzuty…

A ja chciałem się zmienić. Pragnąłem być porządnym człowiekiem, dobrym mężem i ojcem. Jednakże, moja miłość do alkoholu była tak silna, że moja żona i córka, ciągle przegrywały tę nierówną walkę o mnie. Bo ileż rund może znieść bokser, kiedy przeciwnik zadaje mocne i zaskakujące ciosy? Pewnego dnia rzuciły ręcznik…

Zastanawiałem się, jakie byłoby moje życie, gdybym nie pił… Gdybym nie był zakochany w alkoholu. Pewnie byłbym już dawno jakim profesorem, rektorem, dyrektorem firmy, a może nawet prezesem… Kto wie… A na uczelni trzymali mnie tylko ze względu na moja fachową wiedzę z dziedziny demografii. No i to że znam trzy języki – w tym, co najważniejsze – węgierski. Ale i to się skończy, bo znajdzie się jakiś przepisowy goguś i w końcu mnie wyleją… Zresztą, kogo dziś obchodzi, jakim językiem mówią w Gujanie, kto to jest Metys lub Zambo, albo jakie plemiona mieszkają na wyspie Borneo…

Jeszcze raz spojrzałem w lustro. Twarz miałem zmienioną. To przez rozwalone czoło. I przez to pęknięcie… Moja twarz w lustrze, była jak to pęknięcie. A to pęknięcie było jak moje życie. Brzydkie, niepotrzebne, bezsensowne…

Obudziłem się na dywaniku, przytulony do muszli klozetowej. Było ciemno, któraś z moich dam zgasiła światło. Czułem w ustach mieszankę piwa, wina, wódki i skiśniętych papierosów. Ohyda! Było mi strasznie zimno. Moje ciało raz za razem, wstrząsał dreszcz. Miałem sucho w ustach i chciało mi się pić.

Bałem się. Wszystkiego. Bałem się wszystkiego tego, czego nie pamiętałem. Ale i tego, co zostało w mej pamięci... Moje uczucia i emocje sprowadzały się do mieszanki wstydu, strachu, upokorzenia, bólu, żalu i beznadziejności... Wstałem i szybko zapaliłem światło.

Przemyłem swoje nikczemne oblicze i... znowu to przeklęte lustro.

Pęknięcie powiększyło się jeszcze bardziej. Jego linia, przebiegała tak, że niemal idealnie przecinała moją twarz na dwie połówki, nadając jej koszmarny, wręcz monstrualny wygląd. Patrzyłem krótką chwilę w swoje odbicie, po czym wyszedłem z łazienki. W domu nie było nikogo...

– Przechlapane... – powiedziałem do siebie. – Przechlapane... Nie kolego! Musisz się iść napić! Po prostu musisz!

Serce aż mi podskoczyło, kiedy monety zabrzęczały radośnie w mojej kieszeni. Włożyłem na szybkiego kurtkę i buty... ale... gdzie są moje klucze? Przeszukałem dokładnie wszystkie kieszenie. Nie ma. Amba. Echo.

Podbiegłem do drzwi... zamknięte... O, Jezuniu!

Usiadłem bezradnie w przedpokoju i schowałem głowę między kolanami. Chciało mi się płakać.

– Co robić? Co robić, kurwa mać! Jak one mogły mi to zrobić? Tak... Teraz już wiem. To zemsta. Zrobiły to specjalnie. Zamknęły drzwi i zabrały moje klucze – mówiłem do siebie, a beznadzieja ogarniała mnie coraz bardziej. – Kurwa! Przecież ja je pozabijam! Jezu, musze się napić! Bo mi łeb pęknie!

Zerwałem się z miejsca. Przeszukałem barek, szafki, komodę... Nic. Wpadłem do kuchni. Przeleciałem meble, piec, zmywarkę, a nawet pralkę. No nic! Ani kropelki alkoholu!

– Rany, przecież zaraz zwariuję!

A może by tak przez okno... Zejdę po piorunochronie. Ale gdzie, kurwa! Trzecie piętro! Spadnę i się zabiję. Nie, lepiej nie ryzykować. A może by tak faktycznie... spróbować... Może wskoczę na balkon, do sąsiada, piętro niżej... Tak zrobię! No kurwa, musze się napić, bo mi łeb rozsadzi!

Byłem tak zdesperowany, że złapałem się rękoma balustrady i powoli spuszczałem się w dół... „Chyba mnie popierdoliło" – pomyślałem w pewnej chwili i strach ogarnął moje serce. Ale nie było powrotu. Nogi wisiały mi już w powietrzu, a nie miałem tyle siły, żeby się pociągnąć i wskoczyć na swój balkon. Zamknąłem oczy. Z pobliskich okien, dochodziły do mnie głosy:

– Samobójca!

– Rany boskie, zabije się!

– Wariat!

– Patrzcie, Batman!

Huk, trzask łamanych klatek, pisk i tabun ptasich piór, oto efekt mojego upadku na balkon sąsiada.

– Panie Ryśku, rany boskie, co pan tu robi? – zapytał sąsiad. A na jego twarzy malował się strach, zdziwienie i zdenerwowanie.

– Nic. Wyszedłem na spacer.

– Przez okno?

– Tak, przez okno! Ta flądra zamknęła drzwi na klucz. A mnie się dziś bardzo spieszy…

– Boże, moje kanarki… Moje maleństwa – lamentował sąsiad – przecież połamał mi pan nowiuteńkie klatki!

– To se pan nowe kupisz.

– Pan wie, ile to kosztuje?

– Jezu, zapłacę panu za te zasrane ptaki. A teraz wypuść mnie pan stąd! – warknąłem ostro.

– No wie pan, panie Ryśku… no wie pan… jak tak można? – sapał sąsiad, otwierając drzwi.

Nie słuchałem go dłużej, tylko pędem wybiegłem na klatkę.

Wypiłem wino jednym duszkiem i poczułem ulgę. Niech życie płynie…

Nie wiem dlaczego, ale każda kropla alkoholu w żyłach, dodawała mi woli życia, takiej nieodgadnionej radości i poczucie bezproblemowej egzystencji.

Tego osobnika spotkałem za sklepem. Nawiasem mówiąc, świński ryj byłby dla tego stwora, nie lada komplementem. Ten człowiek wyglądał jak mutant popromienny. Jego oczy, wyglądały jak dwie ogromne śliwki. Spuchnięte, pod nimi fioletowe wory. Twarz zabarwiona wszystkimi kolorami tęczy. Usta nabrzmiałe, suche, popękane. Na prawym policzku świeży strup. Na murku stała butelka z denaturatem.

Spojrzeliśmy na siebie. Grymas uśmiechu pojawił się na tej groteskowej masce i moim oczom ukazały się czarne dziąsła. Nie wytrzymałem. Zwróciłem całą zawartość żołądka na obślizgły kontener. Ale najgorsze było przede mną. Monstrum podeszło do mnie i z tym samym grymasem na twarzy, rzekło:

– A cio to? Niedobzie się żłobiło? Hehehe! Niedobzie...

Byłem w szoku. Nie dość, że targało mi bebechami na wszystkie strony, to na dodatek zorientowałem się, że monstrum było kobietą. Zbliżyła swoją mordę do mnie i spytała:

– Mozie pomóć?

O rany...

– Nie mów... – prosiłem, wypluwając z ust resztki wymiocin – nie mów proszę... idź...

– Ale ci na pewno...

– Na pewno! – krzyknąłem z irytacją. Kobieta wzruszyła ramionami z wyrazem obojętności i usiadła z powrotem na swoim miejscu.

Po jakimś czasie doszedłem do siebie i usiadłem na betonowym murku. Zza kurtki wyciągnąłem następne wino, otworzyłem i wziąłem kilka łyków. Po kilku minutach, znowu poczułem się lepiej.

– Masz fajki? – zagadałem do stwora.

Cisza.

– Pytałem, czy masz fajki?

– Mozie mam, a mozie nie mam…

Odpowiedź zaiste dyplomatyczna… Odpuściłem sobie. Wypiłem połowę butelki, po czym wstałem i już miałem udać się do sklepu po kolejne wino, gdy moja towarzyszka, kobieta-potwór odezwała się:

– Nie psiechoć psieś ulicie.

– Co ty tam mamroczesz? – zapytałem zdumiony.

– Nie psiechoć psieś ulicie – powtórzyła nie patrząc na mnie.

Zaśmiałem się szyderczo i ruszyłem w stronę delikatesów.

Nie myślałem o żonie, o córce, o problemach w pracy, o długach, o sąsiadach, klatkach i kanarkach. Nie myślałem o zniszczonej reputacji, o kończącym się zdrowiu. Moją głowę zaprzątała tylko jedna myśl, jeden cel: wypić jeszcze jedno wino… Reszta była całkowicie nieistotna.

Nawet nie poczułem, gdy walnął we mnie ten mercedes. Przeleciałem kilka metrów w powietrzu, nim spadłem na chodnik. Nagle zaczęło mi się robić ciemno przed oczami. Jednak jak przez mgłę pamiętam, że obok mnie, leżało boczne lusterko samochodu. Pęknięte na pół…

BRAT

dedykuję moim ukochanym: żonie i synom

Paweł stał przy delikatesach i bawił się telefonem komórkowym. Jego kolega, Kamil palił papierosa i obserwował przejeżdżające ulicą samochody. Chłopak z komórką był czymś wyraźnie poirytowany. Raz za razem, nerwowo poprawiał swoją bejsbolówkę, a w pewnym momencie zawołał ze złością:

– Co za matoł!

– Strzel go w ten głupi łeb, jak tu przyjdzie – skwitował Kamil.

– Ile można czekać?

– Pizdne go w ryj. Debil jeden! Miał być dziesięć minut temu!

Kamil zaśmiał się szyderczo i zapytał:

– Twój brachol zawsze był taki niedojebany?

– Zawsze. Starzy za bardzo się z nim cackali i wyrósł na niedojeba...

Kamil znowu się zaśmiał.

– Patrz! – zawołał po chwili. – Jest nareszcie!

Z oddali widać było biegnącego powoli chłopca – mniej więcej dziewięciolatka. Był to Adam, młodszy brat Pawła. Miał nadwagę, która nie pozwalała mu biec szybciej.

– Jestem – powiedział zdyszanym głosem. Twarz miał purpurową, a na czole świeciły krople potu.

– Gdzie tak długo byłeś, matole? – zapytał gniewnie Paweł.

– Musiałem... musiałem wrócić do szkoły. Bo zostawiłem książkę do ćwiczeń... na świetlicy...

– Co za głąb! – skwitował Kamil.

Paweł trzepnął Adama w głowę.

– Masz? – zapytał z irytacją w głosie.

– Mam – dyszał dalej chłopiec.

– To dawaj, matole i spadaj! – warknął Paweł. Adam podał bratu plik kluczy.

Przechodząca obok kobieta, pokręciła głową.

– Oj, chłopcy, chłopcy... Co to za słownictwo? Bójcie się Boga...

Na co Kamil ze swoim szyderczym uśmieszkiem, szybko zripostował:

– Spadaj, krowo!

Kobieta zrozumiawszy, że popełniła błąd, bez słowa ruszyła w swoją stronę.

– O której wrócisz? – zapytał Adam.

– Chuj ci do tego! – odpowiedział Jacek. A zwracając się do Kamila powiedział – spadamy kolo.

Po powrocie do domu, Adam wyjął z szafki farby i duża kartkę. Ołówkiem naszkicował postać w stroju piłkarskim, a potem zabrał się do malowania.

– Co dziś malujesz? – zapytała mama, gdy weszła do pokoju.

– Wayne'a Rooneya – odpowiedział chłopiec, nie podnosząc głowy. Był bardzo skupiony na swojej pracy.

– A kto to?

Adam tym razem podniósł wzrok.

– Mamo! – powiedział z niedowierzaniem chłopiec.

– No ja nie wiem kto to jest – uśmiechnęła się matka.

– To piłkarz United.

– Aha… Twój ulubiony, tak?

– Nie. Mój jest Christiano Ronaldo. Rooney'a bardzo lubi Paweł. Pojutrze ma urodziny, więc szykuję mu prezent.

– Super! – mama pogłaskała syna po głowie. – Ale potem weź się za lekcje.

– Dobrze, mamo – powiedział Adam.

– Aha i trzeba wynieść śmieci – dodała kobieta.

– Dobrze, mamo.

Miała już opuścić pokój syna, gdy nagle zatrzymała się.

– Słuchaj, Adaś… A w ogóle, to gdzie jest Paweł?

– Poszedł gdzieś z Kamilem.

– Z Kamilem… – kobieta nie wyglądała na zadowoloną.

– Ciągle łazi gdzieś z tymi chłopakami.

– Zadzwoń do niego – zaproponował Adam.

Matka pokręciła głową.

– Wiesz jaki jest… Nie odbierze telefonu… Ok. Maluj, a potem śmieci i lekcje.

– Dobrze mamo – odpowiedział spokojnie chłopiec.

Dochodziła jedenasta wieczorem, a Pawła wciąż nie było. Rodzice denerwowali się coraz bardziej. Ojciec już trzy razy objechał dookoła osiedle. Zwracał uwagę na grupki młodzieży, jednak wśród nich nie zauważył swojego syna.

– Jak wróci, zleje mu dupę pasem! – odgrażał się.

Matka pokręciła głową.

– Daj spokój! Ważne, żeby wrócił! – spojrzała na zegar. – Rany boskie, już po jedenastej!

– Masz swoje bezstresowe wychowanie! Oto rezultat!

Kobieta spojrzała na męża.

– Nie denerwuj mnie! A ty co ?! Święty? Całymi dniami cię nie ma w domu!

– Pracuję!

– Ja też pracuję! I muszę się zajmować domem! Nikt mi nie pomaga!

– To co, uważasz, że powinienem się zwolnić z pracy i zacząć myć gary?!

– Nie! – krzyknęła matka. – Nie gary! Ale od czasu do czasu, mógłbyś ich zabrać, nie wiem, na spacer… na rower…

– Pawła mam zabrać na spacer?! – mężczyźnie opadły ręce. – A może na galaretkę z bitą śmietaną! Ty chyba sama nie wiesz, kogo masz w domu!

Uchyliły się drzwi małego pokoju, w których stanął Adam. Miał na sobie niebieską piżamkę w kolorowe misie.

– Czemu nie śpisz Adasiu? – zapytała mama, przytulając syna.

– Nie ma go jeszcze? – odpowiedział chłopiec, pytaniem na pytanie.

Rodzice spojrzeli na siebie.

– Nie ma słoneczko – powiedziała łagodnie mama – ale ty idź spać. Jutro musisz wstać do szkoły.

– Ale Paweł… kiedy on wróci?

– No właśnie, dobre pytanie – wtrącił ojciec.

W tej samej chwili, otworzyły się drzwi wejściowe. W przedpokoju pojawił się Paweł. Bez słowa wszedł do kuchni i wyjął z lodówki karton z mlekiem. Nalał sobie do szklanki i natychmiast wypił.

– Gdzie byłeś?– spytała matka, dusząc w sobie gniew.

Jacek spojrzał na nią.

– U Kamila – odpowiedział.

– U Kamila… – powtórzyła kobieta. – Czy ty wiesz, która jest godzina?

– Wpół do dwunastej. Wyluzuj… jutro mam do budy, dopiero na dziewiątą.

Matka nie wytrzymała.

– Jesteś po prostu bezczelny! Masz dopiero trzynaście lat, a zachowujesz się jak jakiś cholerny drań!

– Daj spokój! – powiedział ojciec. – Po co się z nim patyczkujesz? Szlaban na wyjście i koniec!

Paweł uśmiechnął się pod nosem.

– I z czego się śmiejesz, durniu? – zapytał z irytacją ojciec.

– Szlaban, hehe. A może zabronicie mi oglądać dobranockę, co?

– Doskonały pomysł – podchwyciła matka. – Dzieciom w twoim wieku, powinno się nakładać tego typu kary!

– Hyhyhy! Dobre sobie! Takie teksty, mamuśka to możesz se walić do tego gnojka, a nie do mnie!

– Zamknij gębę, bo zaraz w nią oberwiesz! – zirytował się ojciec. – Jak ty się odzywasz do mamy?! Co ty sobie wyobrażasz?!

Paweł spojrzał na ojca z groźną miną.

– Tylko spróbuj mnie tknąć! To jutro rano wszyscy się dowiedzą, że mam ojca pedofila i sadystę!

Matka nie wytrzymała i na odlew trzepnęła syna w twarz.

– Jak śmiesz?! Jak śmiesz?! Ty... ty bezczelny draniu! W tej chwili pójdziesz do swojego pokoju, słyszysz?! – krzyczała kobieta. – W tej chwili!

Paweł wyszedł z kuchni, z miną zwycięzcy.

Rodzice milczeli przez chwilę.

– Skurczybyk pił coś – odezwał się w końcu ojciec.

– No przecież! Czuć piwskiem w całej kuchni! Cholerny, mały drań!

– Powtarzam, masz swoje nowoczesne, bezstresowe wychowanie! Kobieta zakryła dłońmi twarz.

– Masz rację – powiedziała cicho – trzeba było go trzymać krócej. Za dużo żeśmy mu folgowali. Za dużo...

– Mamusiu – odezwał się Adam.

– A ty do spania Adaśku – powiedział ojciec – patrz smyku, która godzina.

– Ja wiem... ale martwię się...

Mama objęła syna ramieniem.

– Wszystko będzie dobrze, nie przejmuj się – powiedziała gładząc go po głowie.

– Dlaczego on taki jest? – zapytał chłopiec.

– Bardzo dobre pytanie – wtrącił ojciec i wyszedł z kuchni.

Peron, na który miał podjechać pociąg z kibicami Sparty, zaroił się od fanów Hetmana. Robił się coraz większy harmider, słychać było gwizdy i pokrzykiwania rozjuszonych „szalikow-ców". Nienawiść między dwoma rywalizującymi drużynami była tak zaciekła i znana, że większość pasażerów czekających na ten pociąg, w obawie o swoje zdrowie, postanowiło wrócić na stację i pojechać następnym.

– Te, Paweł – odezwał się Kamil – zoba, kto tu jest! Niedojeb!

Kumple Pawła roześmiali się w głos.

Ten spojrzał z gniewem na swojego młodszego brata.

– Wypierdalaj stąd, głąbie jeden! Chcesz stracić ten swój głupi łeb?!

– Paweł, proszę… mogę zostać? Proszę…

– Zjeżdżaj stąd młody! – zawołał wysoki, wygolony dryblas.

– Zara tu się krew poleje! Nie nasza! Ale tych pedałów ze Sparty!

Adam spuścił głowę.

– Słyszałeś, matole? Zjeżdżaj! – krzyknął Paweł.

– Paweł …

– Wyjazd! Do domu!

Adam ze łzami w oczach odwrócił się i ruszył w kierunku pod-ziemnego przejścia. Tak bardzo chciał zostać i razem z kibicami Hetmana, sprawić manto Sparcie.

Tymczasem na peronie wrzało coraz bardziej. Z oddali zaświeci-ły światła lokomotywy i w tym momencie kilkadziesiąt gardeł ryk-nęło „Hetman – my! Hetman – my! Sparta – psy! Sparta – psy!". Chwilę potem, z nadjeżdżającego pociągu, dobiegł taki sam głośny krzyk „Het–man parszywe szczury! Het–man parszywe szczury!" co rozjątrzyło jeszcze bardziej stojących na peronie. A kiedy w oknach wagonów pojawiły się niebiesko-czarne szaliki, fani Hetmana oszaleli ze złości. Rzucili się w stronę nadjeżdżającego pociągu. Jednakże w tym samym momencie, z przejścia podziemnego wybiegli policjanci, hamując nieco zapędy rozwścieczonych kibiców. Mundurowi ustawili się po obydwu stronach peronu, gotowi do użycia siły w razie najmniejszej oznaki agresji.

Pociąg zatrzymał się z piskiem. W ciągu kilkunastu sekund fani Sparty wylegli na peron i natychmiast zaczęli rzucać wyzwiskami w stronę kibiców przeciwnej drużyny i policjantów. Ci nie dali się sprowokować, jednak najbardziej zapaleni szalikowcy z Hetmana, rzucili się z wściekłością na przybyszów. Rozgorzała bójka, która przerodziła się w kilka minut w ogólną walkę. Policja próbowała interweniować. Jednak zbyt mała ilość mundurowych, w stosunku do liczby ogólnej kibiców, nie dawała najmniejszych szans na przywrócenie spokoju. Kije bejsbolowe, metalowe pręty i kastety poszły w ruch. Wkrótce dworzec, zamienił się w pole bitwy. Porozbijane okna i lampy, zdewastowane ławki dla pasażerów, porozrzucane kosze na śmieci. W miarę upływu czasu krew lała się coraz gęściej i coraz więcej szalikowców leżało bez ruchu na zimnym betonie.

Paweł wraz z Kamilem i dwoma innymi kolegami okładali potężnego grubasa ze Sparty. Bili gdzie popadnie. Z młodzieńczą nienawiścią i brakiem jakiejkolwiek wyobraźni. Kopali go po głowie, brzuchu, plecach. Nie wiadomo, co by się stało, gdyby nie nadjechała ciężarówka, z uzbrojonym po zęby oddziałem prewencyjnym. Natychmiast użyto gazu łzawiącego. Paweł i jego koledzy, widząc tak wielką grupę policjantów, postanowili ratować się ucieczką. Przebiegli tory trzeciego i czwartego peronu, przeskoczyli siatkę ogrodzeniową i znaleźli się na bocznicy. Biegli pomiędzy wagonami i lokomotywami. W pewnym momencie Paweł potknął się i wywrócił. Poczuł tylko jak torebka stawowa kostki chrupnęła. Zawył z bólu. Jednak kulejąc, próbował dogonić swoich towarzyszy. Nie dał rady biec. Postanowił skrócić sobie drogę. Wszedł na zderzak jednego z wagonów i już miał skoczyć na drugą stronę, gdy nagle pociąg ruszył. Paweł stracił równowagę, zachwiał się, a na dodatek zahaczył o sprzęg. Spadając uderzył głową o w czołownicę. Stracił przytomność. Został ściśnięty zderzakami i runął na ziemię. Szczęściem, nie wpadł pod koła wagonu, tylko tuż obok torów.

Nadbiegł Kamil, a za nim pozostali.

– Ja pierdziele! – zawołał pryszczaty chłopak. – Co robimy?

– Czekaj! Zara obadamy sprawę.

Kamil zeskoczył z betonowego murka i nachylił się nad Pawłem.

– Żyje… dycha… O, kurwa! Ma rozjebany łeb!

– Co ty? Co ty? – niedowierzał pryszczaty.

Kamil spojrzał na kolegów.

– Spierdalamy stąd! Bo będzie na nas!

Chłopcy stali jeszcze krótką chwilę, naprawdę nie wiedząc, co robić dalej. W końcu strach wygrał i rzucili się do ucieczki.

Był jednak ktoś, kto cały czas obserwował te wszystkie zajścia. Dziecięca ciekawość Adama, była tak silna, że najpierw postanowił się schować i z daleka obserwował to, co działo się na peronie. Potem, kiedy Paweł i jego koledzy uciekli przed policją, biegł za nimi. Jego małe, dobre serce zamarło, na widok upadku Pawła. Rozpłakał się, kiedy Kamil i pozostali uciekli. Ze łzami w oczach zeskoczył z murka i nadstawił ucha do piersi brata. Usłyszał bicie jego serca. Zadrżał na całym ciele, kiedy zobaczył krew na głowie Pawła.

– Pomogę ci… – mówił Adam – pomogę ci… Daj rękę…

Był zbyt słaby, żeby wciągnąć brata na murek. I zupełnie nieświadomy tego, że nie powinien go w takiej chwili ruszać. Jednak w swej naiwności, próbował dalej. Paweł nie reagował w ogóle. Zupełnie jakby był martwy.

– Paweł… Paweł… Mamo. Mamusiu, pomóż mi! Maryjo i Jezusie, pomóżcie mi! Aniele boży stróżu mój, ty zawsze przy mnie stój… Paweł! – płakał Adam. – Nie! Nie! Nie! Nie dam rady!

Spróbował jeszcze raz. Złapał Pawła za obydwie ręce, zaparł się. Aż żyły pokazały się na jego szyi i pociągnął z całej siły. Jego brat ani drgnął. Adam był zmęczony i spocony. Zrezygnowany, rozpłakał się. Przytulił głowę do piesi Pawła i tak pozostał w bezruchu.

Po kilku minutach usłyszał czyjeś kroki. Wygramolił się na murek. W oddali zobaczył dwóch policjantów. Szybko podbiegł do nich i zawołał:

– Tam leży mój brat...! Mój brat tam leży!

– Jaki brat? – zdziwił się jeden z policjantów.

– Mój brat! Paweł! Leży na torach...

Usta matki, były suche i popękane. Nerwowo miętosiła palce. Co chwilę spoglądała w kierunku sali operacyjnej, na której leżał Paweł. Po chwili zjawił się ojciec.

– I co? – zapytał.

– Na razie nic nie wiadomo... – odpowiedziała kobieta drżącym głosem.

Ojciec przykucnął i schował twarz w dłoniach.

– Rany boskie! – powiedział. – Jak to się stało?

– Wiem tyle co i ty... Znaleźli go na stacji... na bocznicy. Adaś zawiadomił policję...

– Adaś? – zdziwił się mężczyzna.

– Tak... Znalazł go leżącego przy torach...

Ojciec zmarszczył płowe brwi.

– Nie dociera to do mnie. Boże, w którym miejscu popełniliśmy błąd...

– Nie wiem – rozpłakała się kobieta – ale wiem, że żałuję. Tak bardzo żałuję, że nie dopilnowałam… że pozwalałam na wszystko. Nie przeżyję tego, jak…

– Daj spokój! Nawet tak nie myśl!

– Nie myśl! Nie myśl! A co mam myśleć, powiedz mi! Patrz! Leży tam bez ruchu, z rurą w buzi! I co ja mam myśleć…

Urwała, bo podszedł do nich lekarz. Wysoki, lekko łysiejący brunet w okularach. Zaczął powoli, z największym spokojem na jaki się mógł zdobyć:

– Proszę państwa, sytuacja jest naprawdę krytyczna…

– Ma krwiaka mózgu? – przerwała przerażona matka. Lekarz spojrzał na nią.

– Nie proszę pani, z głową Pawła jest ok. Jest rozcięta. Problem mamy z nerkami. No musze być szczery, bo to nam ułatwi dalszy przebieg leczenia. Podejrzewam – tak myślę, że państwa syn został czymś przygnieciony. Czymś potwornie masywnym. Doznał bardzo ciężkiego urazu, piątego stopnia. Zdaję sobie sprawę, że to państwu nic nie mówi. Otóż jest to rozległe zmiażdżenie i rozerwanie nerki, wraz z oderwaniem unaczynienia żylnego...

– O, Boże! – matka wybuchła płaczem.

– Panie doktorze – powiedział ojciec drżącym głosem – a druga nerka…

– No właśnie… – lekarz pogładził się po głowie. – Mamy problem również z drugą nerką… Nie została uszkodzona…

– Wiec w czym problem? – zapytała matka z odcieniem zniecierpliwienia.

– Po wykonaniu badań, okazało się, że ta druga – rzekomo nie tknięta nerka – niestety, jest dysplastyczna… Od urodzenia. Paweł nie miał nigdy robionego usg?

Rodzice spojrzeli na siebie.

– Nigdy nie było takiej potrzeby… – odpowiedział ojciec.

– Rozumiem – pokiwał głową lekarz. – Jest to zjawisko znane. Czasem ludzie dożywają z taką nerką sędziwych lat, niczego nieświadomi. Krótko mówiąc, potrzebny jest przeszczep. Natychmiastowy. Lewa nerka będzie całkiem usunięta.

– Jestem gotowy oddać swoją – powiedział ojciec, patrząc lekarzowi w oczy.

– Nie tak szybko. To znaczy źle się wyraziłem, bo czas tu jest bardzo istotny. Chodzi o to, że najpierw musimy wykonać badania. Czy pan lub pani, jesteście odpowiednimi dawcami. To znaczy, czy nie ma przeszkód…

– Przeszkód? – zdziwiła się matka. – Przecież jesteśmy najbliższą rodziną.

– Oczywiście, nie kwestionuję tego. Jednak podstawowym warunkiem wykonania przeszczepu nerki, jest zgodność głównych grup krwi dawcy i biorcy, ujemny wynik próby krzyżowej między limfocytami dawcy i surowicą biorcy oraz dobry stan kliniczny potencjalnego biorcy. Ja wiem, mówię teraz językiem medycznym…

– Wiemy o co chodzi – przerwał lekarzowi ojciec. – Kiedy można zrobić te badania?

— Najlepiej zaraz – odpowiedział lekarz.

Wkrótce okazało się, że rodzice nie są odpowiednimi dawcami. Matka powoli wpadała w rozpacz. Ojciec co prawda, próbował ją pocieszać i uspokajać, jednak sam powoli tracił ducha.

— Niestety, na razie nie ma nikogo, kto mógłby ofiarować Pawłowi nerkę – rozłożył ręce lekarz.

— To już nie ma nadziei – pokiwała głową matka.

Stojący pod oknem Adam, dmuchał na szybę i rysował na niej różne, dziwaczne wzorki. W pewnej chwili podszedł do ojca i złapał za rękaw.

— Tato, ja dam Pawełkowi swoją nerkę.

Mama nachyliła się nad synem.

— Adasiu, ty nie możesz…

— Dlaczego? Paweł jest moim bratem.

Lekarz spojrzał na rodziców.

— Jeżeli państwo podejmiecie taką decyzję… To może stać się kluczowe…

Rodzice nie wiedzieli co mają robić. Bo w takich momentach, trudno podejmować jakiekolwiek decyzje. A jeżeli przeszczep się nie uda? Nie przyjmie? To co wtedy?

Ojciec spojrzał na Adama.

– Synku, jesteś pewien?

– Tak – odpowiedział Adam.

Kilka godzin później Adam leżał na sali operacyjnej. Patrzył, jak lekarze przygotowują się do operacji. Okazało się, że jest jedynym ratunkiem dla swojego brata. Młoda pani anestezjolog, uśmiechała się do niego, chcąc w ten sposób dodać dziecku otuchy i odwagi.

– Zawaliłem – powiedział w pewnym momencie Adam.

– Dlaczego? Co się stało, serduszko? – zdziwiła się lekarka.

– Nie dokończyłem rysunku dla Pawła.

Lekarka dotknęła małej dłoni Adama.

– Jeszcze zdążysz to zrobić. Dokończysz, jak wrócicie obydwaj do domu.

Nastała chwila ciszy, którą przerwał cichy głos Adama.

– Proszę pani… To ja będę żył?

Młoda lekarka, zaskoczona tym pytaniem, zaniemówiła. Usta zaczęły jej drgać. Odwróciła głowę, żeby chłopiec nie zauważył jej wzruszenia.

– Długo i szczęśliwie – odpowiedział lekarz w okularach.